매일매일 먹어도 질리지 않을 100가지
맛있는 돼지고기 요리 레시피를 담은

All that
PORK

글·요리 **최경선**

YoungJin.com Y.
영진닷컴

All that PORK

ISBN 978-89-314-4379-0

독자님의 의견을 받습니다

이 책을 구입한 독자님은 영진닷컴의 가장 중요한 비평가이자 조언가입니다. 저희 책의 장점과 문제점이 무엇인지, 어떤 책이 출판되기를 바라는지, 책을 더욱 알차게 꾸밀 수 있는 아이디어가 있으면 이메일, 또는 우편으로 연락주시기 바랍니다. 의견을 주실 때에는 책 제목 및 독자님의 성함과 연락처(전화번호나 이메일)를 꼭 남겨 주시기 바랍니다. 독자님의 의견에 대해 바로 답변을 드리고, 또 독자님의 의견을 다음 책에 충분히 반영하도록 늘 노력하겠습니다.

이메일 : support @ youngjin.com

주 소 : (우)153-803 서울특별시 금천구 가산동 664번지 대륭테크노타운 13차 10층

대표전화 : 1588-0789

대표팩스 : (02) 2105-2207

STAFF

저자 최경선 | **사진** 이종현 | **기획** 기획1팀 | **총괄** 김태경 | **진행** 정은진
표지 디자인 임정원 | **본문 디자인** 고은애
협찬 | 선진포크

All that PORK

글·요리 최경선

"요즘은 건강식, 채식, 자연요리가 각광을 받고 있는데, 돼지고기 요리책을 일부러 찾아보는 사람이 있을까?" 처음에 돼지고기요리를 기획할 때 생각해 보았습니다. 언론에서도 국내, 해외 유명연예인, 인사의 채식에 관한 기사도 많이 쏟아져 나오고요. 그러면서 육식에 관하여 부정적으로만 비춰지는 모습이 안타깝습니다.

돼지고기, 육류 등이 몸에 무조건 안 좋은 건 아닙니다. 많은 섭취와 영양불균형으로 인해 부작용이 생기는 것입니다. 그래서 음식궁합, 맛의 조화, 선호도 등을 고려하여 돼지고기를 건강하게 먹는 방법을 생각하고 연구하여 [All that PORK] 에 담았습니다. 다양한 조리법과 여러 나라의 인기 메뉴를 넣어 지루하지 않도록 하였고요.

매일매일 찾게 되는 요리책은 아니겠지만, 책꽂이에 꽂아두고 돼지고기요리를 할 때마다 보는, 돼지고기의 기본서 마음이 든든해지는 책이 되었으면 좋겠습니다. 돼지고기는 값이 저렴하고 쉽게 구입할 수 있으며 친숙해서 서민들이 자주 찾는 단백질 식품입니다. 주로 돼지고기는 제육볶음, 김치찌개 등 다양한 조리법이 없고, 삼겹살 구이만 많이 소비가 된다고 해요. 그래서 양돈농가, 대형마트, 언론 등에서는 비선호부위, 특수부위와 돼지고기의 소비를 위해 홍보, 할인판매를 꾸준히 하고 있습니다. 이 책 [All that PORK] 가 우리 돼지고기의 우수성을 알리는 데 함께 했으면 합니다.

그 동안 다양한 수업을 하면서 맛있다고, 가족들에게 인기가 좋았다고 검증 받은 요리들을 실었습니다. 수업하면서 많은 시행착오가 있었고, 맛있다는 말 한마디에 꾸준하게 수업하며 성장할 수 있었습니다.

저의 요리 원칙은 기본에 충실하자는 것입니다. 한식은 한식답게, 양식은 양식답게. 그래서 기존에 가정식에서 보지 못했던 밑간과 조리법, 양념을 볼 수 있을 것입니다. 무조건 요리하는 것보다 그 나라의 문화를 이해하고 재료의 원리를 알아서 조리하면 요리하는 것이 즐겁고 쉬워집니다. 몇몇 수강생의 요리 첫 선생님으로 수업하게 된 적이 있는데, 처음에 기본을 잘 잡아서 다른 강좌를 듣거나 책만 봐도 이해가 잘 된다고 고맙다는 인사를 받은 적이 있습니다. 기본에 충실한 책으로 초보자가 접근하기 쉽도록 하였습니다.

수험서 외에는 저의 첫 요리책입니다. 계속 되는 도전에 용기와 행운을 빌어준 가족들, 요리선생님, 친구들, 종로여성인력개발센터 식구들 감사합니다. 배려와 마음을 다해주신 정은진님, 주말마다 소중한 시간내주며 서툰 작업을 많이 도와주신 사진작가 이종현님 정말 감사드립니다. 촬영 후 만든 음식을 맛있게 먹어주고 조언을 아낌없이 해준 홋남 고마워요. 제 수업을 듣고 믿고 따라주며 수년간 인연을 맺고 있는 분들 한분한분 말씀드리지 못하지만, 여러분의 응원 덕에 지금까지도 제가 요리강사로 일하고 있습니다. 진심으로 감사드립니다.

저자_ 최 경 선

Contents

Part. 3 삼겹살과 갈비

Part. 4 앞다리와 뒷다리

Part. 5 목살 특수부위

(Part. 6) **돼지고기 가공식품**

1. 요리의 기본, 계량

같은 요리인데 할 때마다 조금씩 달라지는 맛에 무엇을 잘못했을까 나중에 되짚어보느라 머리 아픈 적 없었나요. 요리 초보들은 같은 양으로 계량해 같은 레시피 대로 하는 것이 일정한 맛을 내기 위해서는 가장 좋습니다. 물론 요리 고수라면 지난번 요리에 뭐가 부족했으니 이번엔 이렇게 변형해 볼까 라고 다르게 할 수 있겠지만요. 초보에게 가장 중요한 것은 기초 다지기. 계량도구를 통해 정확한 계량부터 알아봅시다.

● 계량의 이해와 도구에 따른 단위

계량을 하는 가장 쉬운 방법을 저울로 직접 무게를 재는 것이지만 집에 조리용 저울이 없는 경우에는 계량컵, 계량스푼과 같은 조리도구로 간단하게 계량할 수 있다.

음식을 계량하는 단위는 컵, ml, cc, 큰술 등과 같은 부피를 나타내는 단위와 g, kg, 파운드 등의 무게로 재는 단위가 있다.

계량을 할 수 있는 도구가 없다면, 숟가락이나 종이컵을 이용할 수도 있으나 일반 숟가락으로 계량을 하면 집마다 크기나 모양이 달라 맛, 색 등이 달라질 수 있다. 요리책에서 많이 쓰는 큰술, 작은술 등과 같은 계량법은 계량도구를 이용한 것이므로 비교적 저렴한 수저, 컵 등의 계량도구 구입을 권한다. [All that PORK] 역시 계량 도구를 사용한 계량을 기준으로 하였으며, 1큰술을 15ml, 1작은술을 5ml로 하였다. 컵은 나라별, 책마다 사용하는 기준이 조금씩 다른데 이 책에서는 1컵은 200ml로 하였다.

계량 도구별 용량은 다음과 같다.

1 | 1C = 컵 = Cup = 200cc = 200㎖(미국은 1C=240㎖)

2 | 1TS = 큰술 = Table Spoon = 15cc= 15㎖ = 3ts

3 | 1ts = 작은술 = tea spoon = 5cc = 5㎖

4 | 1oz = 온스 = 28.4g = 약 30㎖

5 | 1Pint = 파인트 = 480㎖ = 16oz

6 | 1Quart = 쿼터 = 960㎖ = 32oz

7 | 1Gallon = 갤런 = 4Quarts

8 | 1LB = 1파운드 = pound = 453.6g = 16oz

9 | 1Kg = 킬로그램 = 2.2Pounds

● 재료에 따른 계량방법

1 | 밀가루, 쌀가루 등 입자가 작은 가루 재료

체로 쳐서 누르지 않고, 수북하게 담아 흔들지 말고 편편하게 깎아 측정한다.

아주 적은 양만을 넣는 경우 엄지와 검지로 집었을 만큼을 꼬집으로 설정하였다.

가루 1꼬집, 조금

가루 1작은술

가루 1큰술

가루 1컵

2 | 고체류(지방)

버터, 마가린과 지방은 저울로 계량하는 것이 바람직하나, 컵이나 스푼으로 계량할 때는 실온에서 계량컵에 꼭꼭 눌러 담아 깎아서 계량한다.

3 | 액체

물엿, 꿀과 같은 점성이 큰 것은 큰 계량컵을 사용하고, 눈금과 액체표면의 아랫 부분을 눈과 같은 높이로 맞추어 계량한다.

액체 1작은술

액체 1큰술

액체 1컵

4 | 된장, 고추장

빈 공간이 없도록 채워서 윗면을 수평으로 깎아서 잰다.

고추장 1작은술

고추장 1큰술

2. 요리의 맛을 좌우하는 양념과 식재료

● 맛에 향을 더하는 향신료와 양념

음식에 맵거나 향기로운 맛을 더하는 조미료를 흔히 향신료라고 한다. 지금은 쉽게 구할 수 있는 흔한 재료이지만 과거에는 이 향신료들이 화폐의 구실을 하기도 하고 이로 인해 전쟁의 계기가 됐다고 한다. 그 특성을 알고 잘 사용하면 식재료의 단점은 줄여주고 장점을 올려주는 향신료에 대해 알아보자. 특히 돼지고기의 경우 고기 특유의 누린내를 깔끔하게 잡으려는 식재료를 잘 알아야 한다.

홀토마토
: 이탈리아의 길쭉하고 색이 진한 토마토를 껍질 벗겨 통으로 토마토 주스에 담가 가공시킨 제품으로 토마토 소스, 피자 등에 쓰인다.
토마토를 어떻게 가공하냐에 따라 토마토페이스트, 토마토퓨레도 있다. 페이스트는 토마토를 익혀 믹서에 갈고 농축시킨 고추장처럼 걸쭉하면서 떫은맛이 있다.

후추
: 후추의 매운맛과 자극적인 향은 식욕을 돋우고 나쁜 냄새 제거를 없애는 데 좋다. 육수나 편육을 끓일 때는 통후추를 넣어 잡냄새를 없애고, 파스타나 고기를 재울 때는 통후추를 갈아서 가루로 사용하는 것이 좋다. 통후추가 없을 경우에는 가루 형태로 된 후춧가루를 간편하게 이용해도 된다.

팔각
: 8개의 꼭짓점이 있는 별모양의 향신료로 매콤하면서도 단 맛과 독특한 향이 있다. 중국음식 중 고기요리에 많이 쓰이는 향신료이다.

계피
: 후추, 정향과 더불어 3대 향신료 중의 하나로 청량감과 달콤한 맛을 내며 고급스러운 향이 있다. 소시지, 햄 등 가공식품에 쓰이고, 디저트, 음료에 이용되어 맛과 향을 낸다.

정향
: 정향나무의 꽃봉오리로 꽃이 피기 전 꽃봉오리를 채취하여 말린 향신료이다. 주로 돼지고기 요리, 수프, 육수, 스튜 등에 첨가하여 맛을 낸다.

● 허브

: 고대 라틴어 허바(herba)가 어원인 허브는 '잎이나 줄기가 식용과 약용으로 쓰이거나 향과 향미를 더해주는 용도로 사용되는 식물을 이른다. 즉, 독특한 향을 갖고 있는 유용한 식물을 통칭해 허브라고 부른다. 이 책에 사용된 허브들을 알아보자.

바질

: 파스타, 피자, 소시지, 수프, 드레싱 등 다양하게 이용되는 향신료이다. 신선한 잎을 다져서 사용하기도 하고 잎을 말려서 가루 낸 제품으로 사용하기도 한다.

오레가노

: 박하 같은 톡쏘는 향이 있고, 이태리와 멕시코 요리, 칠리소스, 피자소스 등에 이용한다.

파슬리

: 서양요리 중에 가장 많이 쓰이는 향신료 중에 하나이다. 육수, 샐러드, 스프, 생선, 육류요리 등 다양하게 쓰인다.

● 다양한 양념과 소스

허브나 향신료가 재료 자체가 지닌 향이나 성질로 맛을 준다면, 소스는 식재료를 가공해 사용하게 편리하게 만든 것이다.

칠리소스

: 매콤새콤달콤한 맛의 소스로 드레싱, 파스타소스, 여러 가지 요리에 다양하게 이용된다.

바비큐소스

: 갈비, 스테이크, 햄버거 등의 요리에 재우거나 소스로 사용한다.

굴소스

: 생굴을 소금물에 담가 발효시킨 농축액에 설탕, 녹말, 조미료 등을 첨가해 걸쭉한 액체로 만든 소스이다. 중식요리에서 볶음, 탕 등 많이 쓰이고 요리의 풍미를 내고 감칠맛을 낸다.

홀그레인머스터드

: 겨자씨가 통으로 들어 있는 머스터드이다. 일반 머스터드소스보다 향이 강하고 씹히는 맛이 있다. 소스, 샌드위치 소스로 많이 쓰인다.

머스터드

: 양겨자라고도 하며 겨자씨 껍질을 제거하고 식초, 와인, 물 등 재료를 첨가하여 홀그레인머스터드보다 부드럽게 만든 제품이다.

모짜렐라치즈

: 생모짜렐라치즈는 부드러운 맛과 쫄깃한 식감이 있다. 단 오래 보관할 수 없는 단점이 있다. 이 생모짜렐라치즈를 건조시켜서 보관성을 좋게 한 슈레드 모짜렐라 치즈도 있다.

파마산치즈

: 숙성시켜 단단해진 치즈로 맛이 진하고 주로 갈아서 파스타, 스프 등 이탈리아 요리에 쓰인다. 대개 일반 가정에서는 분말 형태로 가공한 파마산 치즈 가루를 많이 사용하나 덩어리 치즈에 비해 맛과 향이 떨어진다.

발사믹식초

: 포도즙을 오크통에서 발효시킨 식초이다. 올리브유와 섞어서 드레싱으로 사용하거나, 졸여서 구이나 소스로 사용한다.

3. 깊이를 더하는 육수와 소스

요리에 자주 쓰이는 육수와 소스 등은 한꺼번에 만들어 두었다 필요할 때마다 쓰면 더욱 편리하다. 이 책에서도 자주 나오고, 요리에도 유용한 육수와 소스 등을 만드는 방법을 알아보자.

● 다시마야채육수

요리의 국물 맛을 내는 데는 일반 물보다는 다시마, 멸치, 야채 등을 우려낸 육수를 사용하는 것이 더 깊은 맛을 낸다. 육수는 찌개나 국은 물론 반죽, 무침에도 두루 쓰여 아주 유용하다.

Ingredients

- 다시마 사방 10cm
- 무 1/8개(약 100g)
- 건표고버섯 3개
- 대파 4cm 1대
- 물 5컵(1리터)

Directions

1. 다시마는 염분을 마른 행주로 닦고 나머지 재료도 알맞게 준비한다.

2. 다시마는 육수 끓이기 전날 물에 담가 불린다.

3. 다시마를 넣은 물에 무, 대파, 건표고버섯을 넣어 약한 불로 끓이다가 끓으면 다시마를 건져내고 10분간 더 끓인다.

4. 체에 걸러서 사용한다.

   ※Tip※ 다시마를 미리 불렸다가 사용하면 더 진한 다시마 육수를 뽑을 수 있다.

● 멸치육수

Directions

- 멸치 20g(약 10마리)
- 건새우 5g
- 대파 4cm
- 마늘 3쪽
- 물 5컵

Directions

1. 멸치는 내장을 제거한다. 내장이 쓴맛을 내므로 제거하여 사용한다.

2. 마른 냄비에 멸치를 약한 불에서 30초간 볶다가 물과 야채를 넣는다. 뚜껑을 열어두어야 비린내가 나지 않는다.

3. 끓기 시작하면 10분 정도 더 끓인다. 이때 거품을 제거하여 불순물을 제거한다.

4. 체와 면보를 받쳐서 거른 다음 사용한다.
   ∷Tip∷ 멸치를 넣은 육수를 오래 끓이면 쓰고 탁하다.

♥NOTE

북어머리, 디포리 등을 넣어 같은 방법으로 육수를 끓여도 좋다.

● 토마토기본소스 만들기

홀토마토를 이용한 토마토 소스로 파스타, 피자 등 토마토가 들어간 요리
에 두루 사용할 수 있다. 4인분이 기준이다.

 Ingredients

□ 홀토마토 1kg 약 5컵
□ 마늘 5쪽
□ 양파 1개
□ 당근 1/5개
□ 셀러리 1대
□ 올리브유 5큰술
□ 바질 1작은술
□ 물 1컵

 Directions

1. 마늘, 양파, 당근, 셀러리는 모두 잘게 다진다.

2. 냄비에 올리브유를 두르고 마늘, 양파, 당근, 셀러리 순서로
   중간불에서 볶는다.

3. 홀토마토를 통째로 넣어서 뭉근히 30분간 저어가면서 끓인다.

4. 바질을 넣어 맛을 낸다. 간은 주재료에 따라 달라질 수 있으므로 최종단계에서 한다.

4. 어려운 튀김이 쉬워지는 팁

사실 튀김 요리는 요리 초보자들에게는 쉽지 않은 도전입니다. 튀김 재료를 잘못 넣었다 주방을 뒤집었던 아찔한 기억 때문에 튀김이라면 주저하시는 분들도 많죠. 사실 튀김은 고온의 기름으로 하는만큼 각별한 주의가 필요합니다. 다만 다음의 몇 가지 주의사항만 숙지한다면 계량하는 것만큼 튀김도 어렵지 않아요.

● 튀김 팬

튀김팬은 두께가 두꺼워서 열이 금방 식거나 온도가 단시간 내에 빠르게 오르지 않는 프라이팬이 좋다.

● 기름의 선택

튀김용 기름은 식물성 기름 중에 발연점이 높은 식용유를 사용하는 것이 바람직하다. 콩기름, 포도씨유 등은 발연점이 240~250℃이어서 바삭한 튀김을 하는 데 적당하지만, 올리브유는 발연점 175℃로 낮아서 눅눅하거나 기름이 쉽게 산패되기 쉽다. 올리브유는 파스타와 같은 볶음 요리나 샐러드 드레싱으로 많이 사용된다.

● 기름의 양

튀김시 기름의 양은 튀김 팬의 크기를 기준으로 하는 것이 좋다. 팬의 반 정도 높이만큼 기름을 넉넉히 붓는 것이 바삭한 튀김을 만들 수 있다.

● 온도

식품에 따라 다르지만 160~170℃에서 중불로 튀긴다. 기름의 양이 많다고 재료를 많이 넣게 되면 온도가 급격하게 떨어져서 눅눅한 튀김이 되므로 내용물은 기름 표면적의 반 정도만 넣는 것이 좋다.
'요리 책들을 보면 170℃의 기름에서 튀긴다.' 라는 말이 자주 나온다. 그런데 일반 가정에서는 고온의 튀김용 기름에서도 녹지 않는 요리용 온도계를 거의 구비하지 않은 집이 대부분이죠. 이럴 때는 튀김 재료를 일부 넣었을 때 떠오르는 모습을 보고 기름 온도를 가늠하면 된다. 다음의 그림과 설명을 참고한다.

● 튀김을 할 때 온도 재는 방법

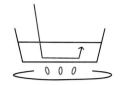

150℃

기름에 튀김 재료를 넣었을 때 몇 초간 머물렀다 떠오르면 150도 이하이다. 튀김을 하기에는 조금 낮아 겉면의 튀김옷에 기름이 스며들게 된다.

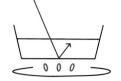

160℃

튀김 재료가 기름의 바닥에 닿았다 바로 떠오르는 온도이다. 주로 야채류처럼 금방 튀겨지는 식재료를 튀기기에 적당하다.

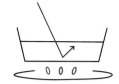

170℃

재료가 기름 바닥까지 내려가지 않고 내려가다 바로 떠오르는 온도로 육류나 해물류 등을 튀기기에 좋다.

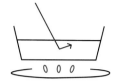

190℃

재료를 넣었을 때 기름의 표면에 바로 떠오르는 상태이다. 이 경우 속은 익지 않고 겉면만 타기 쉽다.

● 튀김 후

튀긴 재료는 바로 키친타월에 올려두는 것보다 공기가 통할 수 있도록 거름망 위에 올려두어야 눅눅해지지 않는다. 남은 기름은 이물질을 걸러서 밀폐된 용기에 식혀 담은 뒤 햇빛이 없는 선선한 곳에 보관 후 깨끗한 경우 재사용한다.

1. 분량은 대개 2인분 기준입니다. 인원이 늘어날 경우 인원수에 맞게 재료를 늘려주세요.

   양념 같은 경우 인원수에 맞게 양을 늘려서 만들되 조리를 할 때는 모두 넣지 않고 살짝 적게 넣어 주면 됩니다. 가장 좋은 방법은 맛을 보면서 입맛에 따라 가감하는 것입니다.

2. 공간을 더욱 넓게, 자세히 사용하기 위해, 과정컷은 꼭 필요한 장면만 사용했어요.

3. 재료는 요리 순서에 따라 배열했어요. 요리를 하며 다음에 필요한 재료를 무엇인지 미리 준비할 수 있겠죠?

4. 재료 준비를 손쉽게 하기 위해 재료 중 몇몇은 재료 손질 방법을 재료명 옆에 기입했습니다. 재료를 준비하며 손질까지 한꺼번에 준비할 수 있습니다.

5. 재료 중 야채 견과 등은 무게 계량에 괄호로 한 손으로 집었을 때의 양인 줌을 표기하였습니다. 일일이 무게로 재기 번거로울 때는 분량에 따라 손으로 집은 만큼 사용하면 됩니다.

6. 소금 1꼬집은 엄지와 검지로 집었을 때 잡히는 양 정도입니다.

7. 후춧가루가 아주 조금 들어갈 때는 '조금'이라고 표기하였습니다. 1~2번 흔들었을 때 나오는 정도입니다.

8. 구하기 어려운 재료의 경우 재료 뒤에 대체할 수 있는 쉬운 식재료들을 표기했어요. 예를 들면, 카이엔 페퍼 가루의 경우 집에 없다면 고운 고춧가루를 사용하면 돼요. 그리고 맛에 크게 영향을 주지 않는 식재료 및 양념은 생략 가능이라고 표기했어요. 한가지 요리를 위해 모든 식재료를 구비할 수는 없으니까요. 특히 여러 요리에 두루 사용하지 않는 식재료는 너무 아깝죠.

돼지고기의
모든 것

CONTENTS

돼지

『동물』멧돼지과의 포유류 | 표준국어대사전

이 책에 담긴 레시피는 (주)선진에서 제공한 선진포크로 조리되었습니다.
Part1의 돼지고기 부위별 사진 및 돼지고기 관련 정보와 자료는 선진포크에서 제공해 주었습니다.

몸무게는 200~250kg이며, 다리와 꼬리가 짧고 주둥이가 비죽하다. 잡식성으로 온순하며 건강하다. 임신 4개월 만에 8~15마리의 새끼를 낳는다. 멧돼지를 길들여 가축으로 만든 것인데, 중요한 축산 동물의 하나로 모양과 색깔이 다른 여러 품종이 있다.

돼지 (pig)

포유류 | 브리태니커

돼지과(— Suidae)의 야생 또는 가축 포유동물.

20세기 후반 현재 중국이 가장 많은 수의 돼지를 보유하고 있지만, 과학적인 고기는 유럽과 미국에서 주로 실시하고 있다. 한국에서는 약 2세기 전부터 토산종 돼지가 사육되어 왔다. 그러나 검은색에 체구가 작은 토산종 돼지는 성장률과 도체율이 낮아 경제성이 떨어지므로 버크셔 종으로 누진교배시켰다. —일부 발췌—

▶ 브리태니커 사전

이책에 담긴 레시피는 (주)선진에서 제공한 선진포크 고기로 조리하였습니다.
Part 1 의 돼지고기 부위별 사진 및 돼지고기 관련 정보는 선진포크에서 제공해 주었습니다.

1. 돼지고기 이야기

우리는 돼지고기에 대해 얼마나 알고 있을까. 한국인이 사랑하는 돼지고기, 제대로 낱낱이 파헤쳐보자.

건강에 대한 관심이 높아지면서 건강한 먹거리를 위한 식재료에 대한 관심 역시 높아지며 우리 몸을 살리는 식재료로 채식이 인기를 끌고 있다. 이에 따라 채식과 상대적이라 할 수 있는 육류에 대한 불신이 깊어지고 있으나 육류의 적당한 섭취는 건강에 좋다는 것이 학계의 관점이다. 적당한 양의 육류 섭취는 고혈압이나 치매, 암, 뇌졸중 등의 질병을 예방하고 다이어트 효과가 있다는 연구 결과가 나왔으며, 면역에 관여하는 알부민이 풍부해 감기나 폐렴 등의 질환에 강하고, 불포화지방산이 많아 혈관 내의 콜레스테롤을 막아주어 동맥경화증이나 고혈압 등의 성인병을 예방하는 데 효과적이다.

또한 양질의 단백질과 미네랄, 인, 칼륨이 다량 함유돼 성장기 어린이에게도 돼지고기는 최고의 영양 보충식이다. 알려진 것과 달리 돼지고기는 칼로리가 적어서 다이어트를 할 때에도 양질의 단백질을 보충할 수 있어 여성들에게도 좋다. 또한 뇌의 만복중추를 자극해 식욕을 억제한다고 한다. 국산 돼지고기가 좋은 이유는 가장 맛있는 상태로 숙성되는 도축 후 3일에서 일주일 사이에 냉장육이 돼 밥상에 오르기 때문이다. 유통되기까지 한 달 이상 걸리는 수입 돼지고기와는 영양 성분과 맛에서 차이가 난다.

● 돼지고기의 색

신선한 돼지고기는 연한 분홍색으로 빨간 선홍색의 소고기와는 구별이 된다. 돼지고기 하면 흔히 붉은 색 조명에 비친 붉은 고기를 연상하지만 붉은색 돼지고기는 먹기에는 좋지 않다. 부위에 따라 색이 차이는 있지만, 짙은 소고기의 색을 띤 돼지고기는 근육 함량이 많은 돼지고기이어서 육질이 질길 수 있다.

● 돼지고기의 보관

돼지고기는 냉장육을 사서 즉시 조리하는 것이 제일 신선하고 맛있게 먹는 방법이지만 부득이하게 냉동육을 구입하거나, 냉장육을 구입한 후 냉동하고 필요할 때마다 해동하여 사용하게 되는 경우가 있다. 냉동할 경우에는 1회 먹을 분량만큼 팩에 넣어 −2~4℃의 온도에서 보관하는 것이 좋고 해동 시에는 조리하기 전날 냉장고에서 미리 해동하는 방법이 제일 좋다. 급하게 실온이나 전자레인지에서 해동할 경우 육즙이 빠져나오고 조직이 상하여 맛도 떨어질 뿐만 아니라 세균의 번식도 더 많아진다.

● 조리법

돼지고기는 지방함량이 많아서 산패되기도 쉽고, 누린내가 다른 고기류보다 많이 나므로 신선도 관리에 유의해야 한다. 돼지고기를 요리하기 전에 밑간을 하거나 향신료를 넣어 특유의 누린내를 제거한다.
돼지고기엔 갈고리촌충, 선모충 등 기생충이 살기 때문에 반드시 굽고 삶아 먹어야 한다. 구울 때도 요령이 있다. 일단 팬이나 석쇠를 충분히 달군 뒤 한쪽 면이 갈색을 띨 정도로 익힌 뒤 뒤집어야 속까지 완전히 익는다. 고기를 자주 뒤집으면 겉만 타게 돼 고기 맛도 떨어지고 기생충 예방 측면에서도 좋지 않다.

● 돼지고기의 영양성분

돼지고기의 대표 영양소는 비타민B₁(티아민)이 100g당 0.5~1.5mg으로 풍부하며, 쇠고기보다 약 10배 정도 많은 양이 함유되어 있다. 부위별로는 앞다리, 안심, 뒷다리에 많이 들어 있다. 또한 돼지 간에는 비타민A가 많다.
돼지고기의 지방은 불포화지방산인 올레산, 리놀렌산이 소고기보다 많으며, 포화지방인 스테아린산은 적다. 불포화지방산은 혈중 내 콜레스테롤 저하 작용이 있으나 산화 변질이 쉽다.
돼지고기는 지방이 많아서 과한 섭취는 비만, 고혈압, 고지혈증을 유발할 수도 있는데, 삼겹살, 사태, 앞다리, 등심 순으로 많으니 적당한 섭취가 건강에 좋다.

	안심	등심	뒷다리	삼겹살	목심
열량	223kcal	262kcal	236kcal	331kcal	180kca
단백질	141.1g	17.4g	18.5g	17.2g	20.2g
지질	13.2g	19.9g	16.5g	18.4g	9.8g
칼슘	2mg	6mg	1mg	8mg	10mg
인	227mg	152mg	179mg	132mg	163mg
비타민B₁	0.91mg	0.61mg	0.92mg	0.68mg	0.40mg

● 돼지고기의 궁합

돼지고기와 다른 식재료로 함께 요리를 했을 때 맛도 좋고, 건강에도 도움을 주는 음식이 있는 반면 식품에 있는 영양소를 제대로 흡수하지 못하거나 어울리지 않는 경우가 있다.
성질이 찬 돼지고기는 따뜻한 음식인 장어, 잉어와는 상쇄하기 때문에 어울리지 않는다.

돼지고기와 찰떡궁합

식재료	좋은이유
새우젓	돼지고기의 단백질과 지방의 소화를 돕는다.
콩비지	
호박	단백질과 비타민A의 섭취를 높인다.
표고버섯	콜레스테롤의 흡수 억제, 고기의 잡냄새를 줄여준다.
부추, 인삼, 호박	따뜻한 성질이라 찬 성질의 돼지고기와 잘 어울린다.
양파, 마늘, 부추	자극 적인 냄가 나게 하는 성분인알리신이나 황화아릴을 함유한 채소와 함께 먹으면 돼지고기에 풍부한 비타민 B1이 활성화 시킨다.
달래	콜레스테롤을 저하시키고 동맥경화를 막아준다.
가지, 콩, 비지	체내의 콜레스테롤의 흡수 억제에좋다.
우엉	고기의 해독작용으로 하고, 장 운동을 활발히 해준다.
꽈리고추	비타민C, 철, 인이 다량 함유되어 있어 돼지고기의 영양분을 보충해 준다.
녹두, 청포묵	혈관을 깨끗하게 해주고 환자의 부종을 줄여준다.
상추, 깻잎	돼지고기에 부족한 섬유질을 보완해 준다.

● 고기 밑간 및 누린내 제거하기

돼지고기에 소량의 양념으로 미리 밑간을 하면 고기에 간이 배 맛을 좋게 한다. 같은 부위를 이용하더라고 음식의 색, 맛에 따라 밑간이 달라질 수 있다. 또 돼지고기의 영원한 숙제인 누린내 제거에도 큰 효과가 있다. 돼지고기로 요리했을 때 중간에 잘못한 게 없는데 맛이 안난다면 고기의 신선도와, 누린내를 잡지 못해서 일 확률이 가장 크다. 아래의 식재료들로 기의 간은 물론 잡냄새 제거를 마스터하자.

소금

밑간에는 빠지지 않는 것이 소금이다. 나중에 최종 양념을 할 때 간을 맞추므로 밑간할 때 소금을 넣지 않는 경우가 많은데, 미리 양념을 하게 되면 나중에 소금을 적게 사용하게 되어 염분의 섭취를 줄일 수 있고, 불필요한 수분 등을 미리 배출함으로써 요리할 때 맛이 더 좋아진다.

간장

소금 대신 간장으로 밑간을 하기도 한다. 한국, 일식, 중식에는 소금 대신 간장을 사용하는 데 완성품의 색이 진하거나 붉은 경우에 적당하다. 간장으로 밑간을 하면 소금이 대신 할 수 없는 풍미를 준다.

후추

동서양 가릴 것 없이 자주 이용하는 향신료이다. 돼지고기의 누린내를 잡을 뿐만 아니라 특유의 향이 식감을 돋게 한다.

술

조리 시 술을 소량 넣으면 알코올과 함께 나쁜 냄새를 내는 성분이 증발하여 맛이 좋아진다. 조리용 술은 청주, 맛술, 와인 등이 있다. 일반적으로 청주를 사용하고, 맛술은 일본요리에 많이 사용하는데 단맛과 조미료가 포함된 것이 맛술이다. 서양요리에는 화이트와인, 레드와인을 사용하여 냄새 제거는 물론 와인 특유의 향긋한 냄새를 주어 맛을 좋게 한다.

생강즙

돼지고기와 생강은 궁합이 잘 맞는 음식이다. 생강은 고기의 누린내를 제거하는데 탁월하다. 단, 많이 사용하면 쓴맛이 날 수 있으므로 주의해야 한다.

향신료

서양요리에서는 월계수잎, 바질, 로즈마리 등으로 고기의 잡냄새를 제거는 물론 향신료 특유의 향이 부가되어 새로운 맛을 만들어 준다.

우유

우유의 단백질이 누린내를 흡착하여 돼지고기뿐만 아니라 닭고기, 생선요리하기 전 우유에 담갔다가 사용하면 부드럽게 할뿐만 아니라 냄새도 줄일 수 있다.

2. 돼지고기 집중탐구, 부위!

한국인이 가장 좋아하는 돼지고기는 삼겹살. 그 외에도 대부분 수육용 목살이나 돈까스용 안심 등의 몇몇 부위만을 섭취하지만 사실 돼지고기는 부위에 따라 맛과 영양의 차이가 있다. 돼지고기를 더 건강하고 맛있게 섭취할 수 있는 부위별 특징에 대해 알아보자.

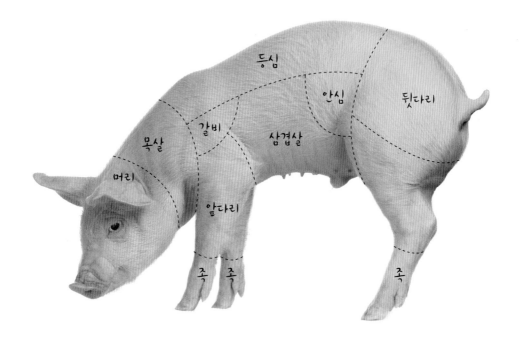

● 안심

허리 부분 안쪽에 있는 지방이 거의 없는 근육으로 육질이 등심보다 더 부드럽고 연하며 담백하다. 등심과 같은 요리에 많이 쓰이고 장조림을 하면 부드럽게 먹을 수 있다.

● 등심

등쪽에 길게 형성된 단일근육으로 운동량이 적어 고기의 결이 곱다. 육질이 부드럽고 담백하다. 돈까스, 탕수육에 많이 쓰이는 부위이다.

● 갈비

찜, 구이, 찌개, 바비큐 등의 요리에 적합하고 옆구리 갈비의 첫 번째
부터 다섯 번째까지를 말한다. 육질이 쫄깃쫄깃하고 풍미가 뛰어나다.

● 목살

등심에서 목쪽으로 이어지는 부위로 근육 사이에 적은 양의 지방이 있
어 부드럽고 맛이 좋다. 소금구이, 보쌈, 주물럭, 바비큐용 등으로 많
이 먹고 근육 사이에 마블링이 적당히 분포되어 풍미가 뛰어나고 육질
이 부드러우며 삼겹살보다 맛이 진하다.

● 삼겹살

돼지의 뱃살로서 맛이 고소하고 부드럽다. 구이, 찌개, 볶음 등 다양
하게 쓰인다.

● 앞다리살

돼지 어깨 부위로 근육이 발달되어 지방이 적고 다양한 용도의 요리가
가능하다. 돼지고기 중 가장 부드럽고 담백하다.

● 뒷다리살

돼지 볼기쪽 부위로 살집이 두툼하고 지방이 많지 않아 담백하다. 불고기, 장조림, 볶음, 찌개 등 조리법이 다양하다.

● 등심덧살

등심에 붙은 덧살로 부드러운 맛이 일품이며 가브리살로 불리기도 한다. 고깃결이 곱고 육질이 부드러우며 담백한 맛이 나며 단백질과 비타민B1이 많다.

● 항정살

살코기 사이에 촘촘히 박혀있는 지방이 골고루 있어서 부드럽고 고소하다. 씹는 맛이 연하고 아삭해서 구이용이나 볶음용으로 좋다.

● 갈매기살

갈비 안쪽에 있는 붙어 있는 부위로 부드러우면서 쫄깃쫄깃하고 기름기가 없다. 지방이 적고 불포화지방산이 높다.

3. 각양각색, 돼지고기 요리로 세계여행

돼지는 약 9,000년 전에 중국과 근동 지역에서 가축화되었다고 추측되고 있으며 그 이후 유럽과 아시아 전역에 걸쳐서 발견되며, 전 세계에서 약 8억 4천 마리가 사육되고 있다. 돼지고기는 무슬림이 많은 중동 (서남 아시아 · 북아프리카 · 중앙아시아 · 아프가니스탄 · 터키) 지방을 제외한 여러 나라에서 널리 즐겨 먹는 음식이다. 전 세계 곳곳에서 사육되며, 사육되는 거의 대부분의 나라에서 식육화 하고 있는 만큼 돼지고기는 각 문화나 국가별로 조리법이 다양하다. 이 책 역시 그러한 다양한 돼지고기의 레시피를 담았다. 각 레시피를 배우기 전에, 국가별 돼지고기 요리의 특징에 대해 짚어보고자 한다.

● 한국

한국인의 돼지고기 소비량은 2010년 19.3kg으로 닭고기 10.7kg, 소고기 8.8kg을 능가한다. 특히 삼겹살 부위를 많이 선호한다.

고려시대에는 불교의 영향으로 육식문화가 줄어 가축 중 돼지의 인기가 떨어졌다. 말은 군사적, 소는 농사에 필요하여 길렀지만, 돼지는 밭을 망가뜨리고 곡물을 먹어치워 환영받지 못했다. 조선시대에는 종묘와 사직 등 제사에 사용되고, 사신 접대를 위해 사육하였다. 돼지를 키우는 농가는 적었고, 돼지고기 소비가 많지 않아 요리로 그다지 발전하지 않았다. 현재는 돼지가 번식이 빠르고 임신기간이 짧아서 효과적인 사육이 가능하여 돼지의 사육과 소비가 함께 늘어났다.

● 무슬림(이슬람)

무슬림이 돼지고기를 먹지 않는 것은 이슬람교의 경전인 코란에 돼지고기를 금지하고 있기 때문이다. 코란에는 "알라께서 너희에게 부여한 양식 중 좋은 것을 먹되 하나님께 감사하고 그 분만을 경배하라. 죽은 고기와 피와 돼지고기를 먹지마라." 라는 구절이 있다.

돼지고기 금지는 평등을 강조하는 이슬람교의 종교적인 의미가 더해졌다. 귀한 자연 환경에서 돼지고기를 먹을 수 있는 사람은 당연히 부유한 사람이다. 돼지고기가 부자만 먹을 수 있는 음식이라는 인식이 형성되는 것을 방지하기 위해 이슬람교에서는 코란을 통해 이를 금지한 것이다.

이슬람에서 돼지고기를 못 먹게 한 것은 경전뿐만 아니라 이슬람 사회의 자연환경 때문이기도 하다. 돼지는 원거리를 몰고 다니는 유목 생활과 맞지 않고, 젖은 냄새가 나서 가치가 없다. 또한 돼지는 37℃의 기온에서 직사광을 받으면 생존하기 어려운데 아라비아 반도는 43℃이상 올라가고 강한 햇빛이 내리쬐어 돼지 사육이 불가능하다. 또한 이슬람 국가들이 모여 있는 서남아시아는 건조한 지역이어서 물과 식량이 부족하다. 이런 환경에서 사람과 같은 음식을 먹는 돼지를 키우는 것은 비경제적이기도 하다.

● 중국

중국에서는 5,000년 전부터 돼지를 기르기 시작하여 돼지고기 요리가 크게 발달했다. 탕수육, 홍소육, 경장육사, 동파육 등 돼지고기를 사용한 요리가 많다.

중국인들은 전 세계 돼지고기 소비량의 절반을 차지할 만큼 돼지고기를 유난히 좋아한다. 한 끼에 고기 요리가 빠지면 제대로 된 식사로 치지 않는다. 한국에 온 중국 관광객들이 된장찌개나 비빔밥을 먹고는 "배가 고프다"고 푸념하는 것도 그 때문이다. 중국인은 세계 돼지 절반인 4억5,000만 마리를 기르고 하루에 15만 마리를 먹어치운다.

돼지고기를 많이 섭취하는 만큼 돼지고기와 돼지는 중국 문화에도 깊숙이 자리잡고 있다. '돼지가 들어오면 백복(百福)이 온다.' '부자는 돼지를 멀리하지 않고 가난뱅이는 책을 멀리하지 않는다'와 같은 중국 속담에도 돼지가 등장한다.

또 중국은 매년 정월 18일, 농가에서 '돼지 경연 대회'를 연다. 가장 잘 키운 돼지를 뽑아 마을의 안녕을 기원하며 제사를 지낸다고 한다.

●독일

우리나라 족발의 경우 돼지 앞다리를 접장에 졸여 만들지만 독일에서는 기름기가 적은 살코기 부분을 선호한다. 때문에 돼지 뒷다리 부위에 주원료 돼지고기 잡내를 제거하기 위해 마늘, 생강 등의 양념을 넣는 것이 우리나라의 일반적인 조리 방법인데 반해 슈바이네 학센은 '옥토버훼스트'에서 직접 제조한 맥주와 물, 소금을 적정 비율로 믹스하고 약간의 향신료를 더해 하루 동안 마리네이드 하여 돼지 특유의 잡내와 누린내를 잡는다. 맥주로 숙성 후 오븐에서 장시간 구워내 살코기 부위를 퍽퍽함 없이 부드럽게 만들어 낸다고 한다. 이 외에 독일식 통삼겹살 요리인 슈바이네 바우흐, 등심요리인 카셀러 리펜스페어, 등갈비 요리인 슈바이네리펜 등 돼지고기의 각 부위를 특화 한 다양한 돼지고기 요리들이 있다.

●일본

세계 장수지역으로 유명한 오키나와인들의 장수비결이 삶은 돼지고기 요리에 있다는 것은 이미 널리 알려진 사실이다. 불필요한 기름기가 빠지고 담백하게 즐기는 수육·보쌈은 우리 몸의 부족한 단백질을 보충해줌과 동시에 몸을 보하는 건강식으로 꼽힌다. 일본에서 돼지는 우스꽝스럽고 미련한 이미지를 상징한다. 십이간지에도 '돼지띠' 대신 '멧돼지띠'를 쓴다.

● 다른 나라의 돼지이야기

이스라엘 왕들은 백성들에게 돼지고기를 맛보는 것은 물론, 살아있거나 죽은 돼지도 만지지 못하게 했다.

미국에서는 새해 첫날 돼지고기를 먹으면 행운이 온다고 믿는다. 통통하고 새끼를 많이 낳은 돼지가 복을 불러온다고 여기기 때문이다.

● 돼지고기 요리별 잘 어울리는 와인

음식	추천와인	종류	원산지
삼겹살	블랙타워	레드	독일
	레디 비시클렛 시라	레드	프랑스
	칼리테라 카베르나 쇼비뇽	레드	칠레
	컬런 D.M. 카베르네쇼비뇽 메를로	레드	호주
돼지갈비	모레이 생 드뉘	레드	프랑스
	코트 드뉘 빌라주 모레이 생 드니	레드	프랑스
	부르고뉴 피노누아	레드	프랑스
	엠 샤퓨티에 코트 뒤론	레드	프랑스
닥터루센	펠시나 베라뎅가 키안티 클라시코	레드	이탈리아
	블랙스톤 프레지스티지 샤도네이	화이트	미국
	장 베르도 코트 뒤 론	레드	프랑스
	발디비에소 메를로	레드	칠레
	닥터 루센 리즐링	화이트	독일
항정살	캄포 그란테 모르비에토 클라시코 메를로	화이트	이탈리아
	레오나르도 키안티 리제르바	레드	이탈리아
	에코도마니 피노그리지오	화이트	이탈리아
돈까스	켄달잭슨 빈트너스 리저브 메를로	레드	미국
	파미그리아 샤도네이	화이트	아르헨티나
	라 호야 그랑리저브 카베르네 쇼비뇽	레드	칠레
동파육	뷰 매넌 카베르네 쇼비뇽 리제르바	레드	칠레
	빌라엠 로소	레드	아르헨티나
포크찹	베라차노 키안티 클라시코	레드	아르헨티나
바비큐	엘렌 뷔셀	화이트	호주

그릇협찬 :
도자기숲(http://www.dojagisoop.com)
더다인(http://www.thedain.com)
오이시이브런치(http://oisiibrunch.com)

Part
2

안심과
등심

살찔 걱정 없는 안심월남쌈

| 안심 |

🍲 분량 : 3~4인분
⏰ 조리시간 : 30분
🎏 난이도 : 초급

"신선한 색색의 야채들이 푸짐해 보이면서 식욕도 돋우는 월남쌈. 쌈 만들어 먹는 재미가 있어서 친구들과 담소를 나누며 먹기 좋아요. 한입 베어 물면 상큼한 야채와 깻잎 향에 반해 계속 먹게 되죠. 칼로리는 낮으니까 배부르게 먹어도 괜찮아요. 소스 골라 먹는 재미는 덤이에요."

Ingredients

재료		
□ 안심 100g	□ 단무지 50g	땅콩소스
□ 라이스페이퍼 20장	□ 게맛살 2줄	□ 땅콩버터 2큰술
□ 달걀 1개	□ 기름 1큰술	□ 간장 1큰술
□ 당근 1/8개		□ 설탕 1큰술
□ 오이 1/4개	돼지고기밑간	□ 다시마육수 1큰술
□ 파프리카 1/2개	□ 소금 1 꼬집	□ 식초 1/2큰술
□ 깻잎 20장	□ 후춧가루 조금	
□ 팽이버섯 1/2봉지	□ 청주 1큰술	피시소스
		□ 칠리소스 1큰술

□ 피시소스 2큰술
□ 설탕 1작은술
□ 청양고추 1/2개
□ 레몬즙 1큰술
□ 다진마늘 1작은술

Directions

1. 안심은 채를 썰어서 소금, 후춧가루, 청주를 넣고 잘 섞은 후 20분 정도 밑간을 한다.

2. 청양고추는 송송 썰고, 다른 모든 야채는 5cm 길이로 채를 썬다.

3. 달걀은 노른자와 흰자를 분리해 지단을 부치고, 돼지고기를 볶는다.

4. 야채를 접시에 돌려 담고 돼지고기를 가운데 놓는다. 따뜻한 물, 라이스페이퍼를 곁들인다.

5. 뜨거운 물에 적셔 부드럽게 만든 라이스페이퍼를 깔고 각각의 재료를 고루 얹어 분량의 소스를 만들어 찍어 먹는다.

NOTE

피시소스는 태국, 베트남 등 동남아 요리에 쓰이는 소스로 멸치액젓처럼 생선을 발효해서 만든 소스이다. 짠맛이 멸치액젓보다 강하지만 맛은 부드럽다. 구입하기 어렵다면 멸치액젓을 넣어도 된다.

NOTE

지단 부치는 방법

❶ 달걀을 노른자, 흰자로 분리하고 소금을 조금 넣어 끈기가 없도록 지그재그로 달걀을 푼다. 이때 기포가 있으면 수저로 떠서 제거한다.

❷ 팬에 기름을 두르고 코팅시킨 후 키친타월로 기름을 말끔하게 닦고 약한불로 예열한다.

❸ 팬에 지단을 펼치고 약한불에서 익힌다.

부드럽고 바삭한 히레까스

| 안심 |

🍲 분량 : 3~4인분
⏰ 조리시간 : 30분
🍴 난이도 : 초급

"히레까스는 안심으로 만든 일본식 돈까스를 가리키는 말인데, 부드러운 안심을 두툼하게 준비해서 튀겨 먹으면 풍부한 육즙이 입안에 가득, 씹는 느낌도 등심보다 훨씬 부드러워 살살 녹아요. 오늘만큼은 튀김이지만 히레니까 괜찮아."

Ingredients

재료		소스	
□ 안심 400g(1cm 두께)		□ 간 양파 1/2컵(1/2개 분량)	□ 소금 2꼬집
□ 밀가루 2큰술		□ 간 파인애플 1/2컵	□ 후춧가루 조금
□ 달걀 1개		(캔 파인애플 링 3개)	□ 통깨 2큰술(나중에)
□ 빵가루 1컵		□ 우스터소스 4큰술	
□ 소금 2꼬집		□ 돈가스소스 120ml	
□ 후춧가루 조금		□ 토마토케첩 6큰술	
□ 튀김 기름 적당량		□ 머스터드 1큰술	

Directions

1. 돼지고기는 소금, 후춧가루로 밑간을 해서 20~30분 정도 재워둔다.

   ×Tip× 돼지고기를 돈까스용으로 구입하면 칼집 있는 고기를 살 수 있다.

2. 돼지고기를 밀가루, 달걀, 빵가루 순서로 옷을 입힌다.

3. 튀김 기름은 튀김 팬의 반 정도 높이로 넣어서 예열하고, 160~170℃에서 중불로 3~4분간 튀긴다.

4. 분량의 소스 재료를 냄비에 모두 넣어 걸쭉하게 끓이고, 통깨를 갈아서 곁들인다.

✐NOTE

기름진 돈까스를 먹다 보면 새콤한 과일 샐러드가 절로 생각난다. 이럴 땐 양배추 및 샐러드용 야채와 과일 드레싱을 함께하면 좋다. 과일 드레싱은 다음의 재료를 고루 섞으면 된다.

간 파인애플 3큰술(캔 파인애플 링 1개 분량), 우스터소스 1큰술, 마요네즈 2큰술, 머스터드 1큰술, 소금 1꼬집

손이가요.손이가~ 안심칠리소스

| 안심 |

- 분량 : 2인분
- 조리시간 : 40분
- 난이도 : 중급

"칠리는 칠리고추와 고기를 넣고 끓인 매운 스튜인 칠리 콘 까르네를 이르는 말이라고 하네요. 칠리고추 대신 고추기름으로 매콤한 맛을 냈어요. 매운 음식이 땡길 때 먹으면 스트레스도 싹 날아가요."

Ingredients

재료	소스	튀김반죽	밑간
☐ 안심 200g	☐ 토마토케첩 4큰술	☐ 녹말가루 1/2컵	☐ 간장 1작은술
☐ 고추기름 3큰술	☐ 설탕 2큰술	☐ 물 3큰술	☐ 후춧가루 조금
☐ 대파 1/4대	☐ 두반장 1작은술		☐ 청주 1큰술
☐ 마늘 2쪽	☐ 청주 1큰술	물녹말	
☐ 생강 1톨(10g)	☐ 물 1/4컵	☐ 녹말가루 1큰술	
☐ 튀김 기름 적당량		☐ 물 1큰술	

Directions

1. 대파, 마늘, 생강은 굵게 다지고, 돼지고기는 3×1cm 정도로 썰어서 간장, 후춧가루, 청주를 넣고 밑간을 한다.

2. 녹말가루 1/2컵에 물 3큰술을 섞어 반죽을 만들고 여기에 돼지고기를 넣어 옷을 입힌다.

3. 튀김 기름은 튀김 팬의 1/2 정도 높이로 넣어서 예열하고 160~170℃에서 중불로 3~4분간 튀긴다.

   ＊Tip＊ 넉넉한 기름에 넣고 튀기는 것이 바삭한데, 기름이 많다고 재료를 너무 많이 넣으면 온도가 낮아져서 눅눅한 튀김이 된다.

4. 팬에 고추기름을 두르고 대파, 마늘, 생강을 재빨리 볶고 소스를 넣어 끓인다.

5. 소스가 끓으면 물녹말을 넣어 걸쭉한 농도로 튀겨 놓은 돼지고기를 섞는다.

✍ NOTE

맛있는 튀김이 되려면 온도, 반죽, 기름의 양과 종류 등이 모두 완벽해야 한다. 재료에 수분이 많으면 튀김옷이 벗겨질 염려가 있으며, 기름은 식물성 기름이 적당하다. 튀긴 재료는 키친타월에 두면 다시 눅눅해질 수 있으므로 공기가 통하는 체반 위에 올려두는 것이 좋다.

가족들에게 사랑 받는 탕수육

| 안심 |

🍲 분량 : 2인분

⏰ 조리시간 : 40분

🍴 난이도 : 중급

"중국집가서 자장면에 탕수육 안 먹으면 정말 서운하잖아요. 저는 짬뽕, 자장면 고르는 것보다 탕수육을 먹을까 말까 고민하는 게 더 힘들어요. 이제 눈치 보지 말고 집에서 마음껏 해먹어요."

재료			소금 1꼬집		청주 1큰술		밑간
안심 300g	후춧가루 조금		간장 1작은술
양파 1/6개	튀김 기름 적당량	**튀김 반죽**	후춧가루 조금
오이 1/5개		녹말가루 1/2컵	청주 1큰술
당근 1/8개	**소스**	물 3큰술	
목이버섯 1개	설탕 1/2컵		
대파 1/4대	식초 1/3컵	**녹말물**	
마늘 2쪽	물 1컵	녹말가루 1큰술	
생강 10g	간장 1큰술	물 1큰술	

Directions

1. 돼지고기는 1×5cm, 손가락 크기로 잘라 청주, 간장, 후춧가루를 넣고 30분 정도 밑간을 한다.

2. 오이, 당근은 크게 썰고, 양파, 목이버섯, 대파는 굵은 채로, 마늘은 편썰고, 생강은 채썬다.

3. 돼지고기는 녹말가루 1/2컵과 물 3큰술을 섞은 반죽으로 튀김옷을 입힌다. 튀김 기름은 튀김 팬의 1/2 정도로 넣어서 예열하고, 160~170℃에서 중불로 3~4분간 튀긴다.

   ※Tip※ 2번 튀길 때에는 첫 번째는 160℃정도에서 3분 정도 고기를 익히고, 두 번째는 180℃ 고온에서 30초간 바싹 튀겨내면 바삭하다.

4. 팬에 기름을 두른 후 대파, 마늘, 생강을 볶고 양파, 당근, 목이버섯을 재빨리 볶는다.

5. 양파가 투명해지면 소스 재료를 넣고 끓인 후 녹말물을 넣어 농도를 조절한다.

6. 소스가 걸쭉해지면 오이, 튀긴 고기, 소금, 후춧가루를 붓는다. 조리가 다 끝난 후에 불을 끈다.

짭조름한 고기반찬 장조림

| 안심 |

🍲 분량 : 4인분
⏰ 조리시간 : 70분
🍴 난이도 : 중급

" 소고기 장조림을 잘못 만들면 턱이 땡기고, 아프도록 질길 때가 있잖아요.
푹 끓여 고기가 부드러워진 그 후에 양념을 하는 것이 고기를 질기지 않게
하는 방법인데요. 그런 걱정을 덜어준 돼지고기 장조림입니다. "

재료	소스
□ 안심 600g	□ 간장 10큰술(150ml)
□ 달걀 3개	□ 설탕 5큰술
□ 대파 2대	□ 마늘 5쪽
(잎 부분만)	□ 물 1컵
□ 마늘 5쪽	
□ 생강 1톨(20g)	
□ 후춧가루 1/2작은술	
□ 참기름 1큰술	

1. 돼지고기는 찬물에 30분 가량 담가 핏물을 뺀다.

2. 물에 대파, 마늘, 생강을 넣어 끓이고, 물이 끓으면 돼지고기를 넣어 중불로 30분간 익힌다.

3. 달걀을 삶아서 껍질을 깐다. 익은 돼지고기는 먹기 좋은 크기로 손으로 찢거나 칼로 썬다.

   ※Tip※ 달걀을 찬물에 소금, 식초를 넣고 센불에서 익히다 끓기 시작하면 불을 줄여 중불에서 12분간 삶으면 노른자 색이 노릇한 완숙이 된다.

4. 돼지고기와 양념을 넣어 끓이고 국물이 잦아들면 달걀, 후춧가루, 참기름을 넣는다.

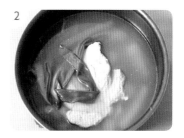

♨NOTE

취향에 따라 꽈리고추, 메추리알을 넣어도 좋다.

솜씨 100%, 정성 200%, 버섯잡채

| 안심 |

🍲 분량 : 2인분
⏰ 조리시간 : 1시간
🎚 난이도 : 중급

"어렸을 적 저녁 식사 메뉴가 잡채인 날은 저녁 식사를 준비하는 내내 주
방에 기웃거렸어요. 한입만 먹어보겠다고 입을 아 벌리고 주방에서 조금,
조금씩 먹다가 밥은 안 먹고, 잡채만 한 접시 뚝딱 비울 정도로 잡채를 좋
아했었어요."

Ingredients

재료		고기 양념	당면 양념
□ 안심 100g	□ 느타리버섯 4~5줄	□ 간장 1큰술	□ 다시마야채육수 1컵
□ 당면 100g	□ 새송이버섯 1개	□ 설탕 1/2큰술	□ 진간장 2큰술
□ 양파 1/4개	□ 기름 3큰술	□ 마늘 1/2작은술	□ 흑설탕 2큰술
□ 당근 1/8개	□ 소금 1꼬집	□ 후춧가루 조금	
□ 파프리카 1/2개	□ 후춧가루 조금	□ 깨소금 조금	
□ 건표고버섯 2개	□ 깨소금 1큰술	□ 참기름 1작은술	
□ 목이버섯 1개	□ 참기름 1큰술		

Directions

1. 당면, 건표고버섯, 목이버섯은 따뜻한 물에 10분 또는 찬물에 30분간 불린다.

   ※Tip※ 말린 표고버섯과 목이버섯은 물에 불리고, 생표고버섯으로 구입했을 경우에는 불리지 않는다.

2. 불린 당면은 다시마야채육수물 1컵, 진간장 2큰술, 흑설탕 2큰술을 넣고 끓여 당면을 익힌다.

   ※Tip※ 다시마야채육수는 다시마 표면의 염분을 닦고 찬물 1컵을 넣고 약한 불에서 익히다 물이 끓으면 불을 끄면 된다. 자세한 방법은 14쪽을 참고한다.

3. 양파, 당근, 파프리카는 채를 썬다. 표고버섯, 새송이버섯은 채를 썰고, 목이버섯은 잘게, 느타리버섯은 가닥가닥 찢는다.

4. 고기는 고기 양념을 넣고 재워둔다.

5. 팬에 기름을 두르고 양파, 당근, 파프리카를 볶으면서 소금, 후춧가루로 간을 하고 꺼낸다. 팬에 기름을 두르고 모든 버섯을 함께 볶으면서 소금, 후춧가루로 간을 하고 꺼낸다. 또 팬에 기름을 두르고 돼지고기를 볶고 꺼낸다.

   ※Tip※ 볶을 때 각각 소금과 후춧가루를 1꼬집씩 넣어 간을 한다. 각각 간을 하면 재료마다 간이 베어서 간을 맞추기 쉽고 더 맛있다.

6. 삶은 당면에 볶은 야채, 버섯, 돼지고기를 넣고 섞고, 소금, 후춧가루, 깨소금, 참기름으로 양념을 한다.

부추 살아 있네~ 함이 생기는 부추잡채

| 안심 |

🍲 분량 : 2인분
⏰ 조리시간 : 30분
🎹 난이도 : 초급

"사람처럼 음식에도 궁합이 있다고 합니다. 저마다 다른 성질을 지녔기 때문에 서로를 보완해줄 수 있는 식재료와 함께 조리하는 게 음식 궁합이지요. 어쩌면 사람도 이와 같겠죠. 부추는 돼지고기와 궁합이 가장 좋은데 부추는 따뜻한 성질을 지녔고, 돼지고기는 차갑기 때문이랍니다."

Ingredients

재료	
□ 안심 200g	□ 후춧가루 조금
□ 부추 100g	□ 청주 1큰술
□ 달걀 1개(흰자만)	
□ 기름 2큰술	양념
	□ 청주 1큰술
밑간	□ 소금 1꼬집
□ 간장 1작은술	□ 후춧가루 조금
	□ 참기름 1큰술

Directions

1. 돼지고기는 6cm 길이 정도로 가늘게 채를 썰고 간장, 후춧가루, 청주를 넣고 밑간을 한다.

2. 부추는 6cm 길이로 잘라서 흰 대 부분, 파란 잎 부분을 나누어 둔다.

   ※Tip※ 흰 대 부분, 잎 부분이 각각 익는 데 걸리는 시간이 다르기 때문에 나눈다.

3. 밑간한 돼지고기에 흰자 1큰술, 녹말가루 2큰술을 넣어 버무리고, 넉넉한 기름에 데친다. 이때 고기는 80% 정도 익힌다.

   ※Tip※ 중국요리에서는 넉넉한 기름에 고기를 초벌로 볶아 내는 방법을 기름에 데친다고 하는데, 이렇게 하면 고기가 부드럽고 육즙이 살아 있다.

4. 팬에 기름을 두르고 부추 흰 부분을 30초 정도 볶고 청주 1큰술과 돼지고기를 함께 넣어 돼지고기를 익힌다.

5. 돼지고기가 다 익으면 부추의 잎 부분, 소금 1꼬집, 참기름 1큰술, 후춧가루를 넣어 10초 정도 재빠르게 볶는다.

   ※Tip※ 부추의 숨이 죽지 않게 불을 끄고 버무리거나 재빠르게 볶아야 한다. 자칫하면 부추가 질겨지게 되고 물이 생겨서 맛이 없다.

NOTE

부추는 간, 위와 장의 기능을 강화하고 촉진한다. 항균작용, 혈액순환작용과 지혈작용도 있어서 식중독을 풀어 준다.

비싼 메뉴 집에서 저렴하게 만들기 양장피

| 안심 |

🍲 분량 : 2인분
⏰ 조리시간 : 1시간
〰 난이도 : 중급

"양장피는 전분으로 만든 두 장의 피라는 뜻이에요. 전분으로 만든 양장피는 부드럽고 쫄깃한 식감이 있죠. 뭐니뭐니해도 톡 쏘는 매콤한 겨자가 양장피의 백미죠. 정신이 번쩍 들고, 개운해지는 맛이에요."

Ingredients

재료	〈 볶는 재료 〉	양념	소금 1꼬집
〈돌려 담는 재료〉	□ 안심 100g	□ 간장 1작은술	□ 간장 1/2작은술
□ 양장피 1장	□ 대파 5cm	□ 청주 1큰술	□ 참기름 1작은술
□ 새우살 10개	□ 마늘 3쪽	□ 굴소스 1작은술	
□ 오징어 1/2마리(몸통)	□ 생강 조금		양장피 밑간
□ 오이 1/2개	□ 양파 1/4개	겨자소스	□ 간장 1작은술
□ 당근 1/4개	□ 부추 50g	□ 연겨자 1큰술	□ 참기름 1큰술
□ 게맛살 2줄	□ 건목이버섯 1개	□ 식초 2큰술	
□ 기름 2큰술	□ 건표고버섯 1개	□ 설탕 1큰술	

Directions

1. 오이, 당근, 게맛살은 채썰고, 새우와 오징어는 데치고 오징어는 0.3cm 정도로 채를 썬다.

   ※Tip※ 해삼, 해파리 등을 곁들여도 좋다. 칵테일 새우를 구입했을 경우에는 냉동제품이므로 살짝 데쳐서 사용하고, 껍질이 있는 경우에는 껍질째 데치고 식은 후 껍질을 벗겨 사용한다.

2. 건표고버섯, 목이버섯은 따뜻한 물에 10분 또는 찬물에 30분간 불린다.

3. 양장피는 물에 찬물에 담가서 부드럽게 하고, 끓는 물에 살짝 데쳐서 간장 1작은술, 참기름 1큰술로 밑간한다.

4. 야채와 해물을 접시에 돌려 담고 양장피를 가운데에 올린다.

5. 대파, 마늘, 생강, 양파, 목이버섯, 표고버섯, 돼지고기는 0.3cm 정도로 채썰고, 부추는 5~6cm 길이로 썬다.

6. 팬에 기름을 두르고 대파, 마늘, 생강을 볶아 향을 내고 돼지고기를 볶는다. 반 정도 익으면 양파, 표고버섯, 목이버섯을 넣고 양념을 한다. 마지막에 부추, 후춧가루, 참기름을 넣어 재빨리 볶는다.

7. 겨자소스 재료를 잘 섞어 양장피에 곁들인다.

   ※Tip※ 더 매운맛을 원할 때는 연겨자 대신 가루 겨자 1큰술에, 물을 조금 넣어 따뜻한 곳에서 발효를 해서 양념하면 된다.

집에서 만들어 안심할 수 있는 옛날 짜장밥

| 안심 |

🍲 분량 : 2인분
⏰ 조리시간 : 1시간
🍴 난이도 : 중급

"중국 음식을 먹고 나면 목이 마르고 머리가 아프고 속이 더부룩해지는 것을 차이니즈 푸드 신드롬(Chinese Food Syndrome)이라고 해요. 무조건 안 먹는 방법보다는 건강하게 먹는 방법을 알고 몸과 마음을 튼튼하게!"

재료	물 3컵	기름 1큰술	간 맞추는 양념(취향에 따
□ 안심 200g		□ 굴소스 1큰술	라 조절)
□ 양파 2개		밑간	□ 설탕 1큰술	□ 참기름 1큰술
□ 감자 1/2개	□ 소금 1꼬집	□ 간장 1큰술	□ 소금 1/2작은술
□ 양배추 1/8통	□ 후춧가루 조금	□ 청주 1큰술	□ 후춧가루 조금
□ 대파 1/2대	□ 청주 1큰술		
□ 마늘 4쪽		녹말물	
□ 생강 1톨(10g)	소스	□ 녹말가루 3큰술	
□ 기름 3큰술	□ 춘장 2큰술	□ 물 3큰술	

1. 춘장 2큰술과 기름 1큰술을 넣고 춘장에 구멍이 뽕뽕 생길 때까지 약한 불로 볶는다.

2. 돼지고기는 소금, 청주, 후춧가루로 밑간한다.

3. 양파, 감자, 양배추, 대파는 1cm 크기의 정육면체 모양의 1cm크기로 썰고, 마늘과 생강은 다진다.

4. 큰 냄비나 깊이가 있는 팬에 기름을 넣고 대파, 마늘, 생강을 볶아 향을 내고 고기를 넣어 볶은 다음 양파, 양배추, 감자 순서로 넣어 고루 볶는다.

   ×Tip× 야채를 투명하게 잘 볶아야 단맛이 나고 맛있다.

5. 볶은 재료에 1의 춘장을 넣고 간장, 굴소스, 청주, 설탕을 넣어 맛을 낸다.

6. 물 3컵을 부은 다음 끓여 재료를 익힌다. 녹말물을 풀어 걸쭉하게 하고 소금, 후춧가루, 참기름으로 간을 맞춘다.

고추 먹고 맴맴~ 매콤한 별미 김말이 튀김

| 안심 |

- 분량 : 8개 분량
- 조리시간 : 40분
- 난이도 : 중급

"청양고추는 캡사이신이 다른 고추에 비해 많이 함유되어 있고, 기초대사율을 높여 다이어트에 알맞습니다. 미네랄 등 각종 영양소도 많지만 다만 매운 맛으로 인해 다량 섭취하면 탈이 날 수 있다고 하네요."

재료	당면 양념	반죽	돼지고기 양념
▫ 김 4장	▫ 간장 2큰술	▫ 튀김가루 1/2컵	▫ 간장 1작은술
▫ 당면 50g	▫ 참기름 1큰술	▫ 물 5큰술	▫ 다진 마늘 1/2작은술
▫ 안심 200g	▫ 설탕 1큰술		▫ 참기름 1/2작은술
▫ 청양고추 1개	▫ 후춧가루 조금		▫ 후춧가루 조금
▫ 튀김 기름 적당량	▫ 밀가루 2큰술		

1. 당면은 찬물에 20분 정도 불리고, 끓는 물에 살짝 3분 정도 삶아서 찬물에 헹구고 10cm 정도로 자른 다음 당면 양념 재료를 넣고 고루 섞는다.
   ×Tip× 튀길 때는 반죽만 익을 정도로 튀겨내므로 당면을 삶는 과정에서 거의 다 익힌다.

2. 돼지고기는 0.3cm 두께로 채를 썰어서 양념을 하고 팬에 볶는다.

3. 청양고추는 채썰고, 김은 반으로 자른다.

4. 익힌 돼지고기와 청양고추를 당면에 넣어 섞는다.

5. 자른 김에 재료를 넣고 김밥처럼 돌돌 만다. 이때 김이 잘 붙지 않는다면 물이나 반죽을 살짝 묻힌다.
   ×Tip× 당면을 넣을 때 옆에 조금 삐져나오게 하면, 김밥 꼬투리처럼 나와서 특이한 모양이 된다.

6. 만든 김말이에 밀가루 덧가루를 묻히고 반죽옷을 입힌다. 튀김 기름은 튀김 팬의 1/2 정도 높이로 넣어서 예열하고 160~170℃에서 중불로 1분 30초~2분 정도 튀긴다.
   ×Tip× 속재료는 모두 익혀서 넣으므로 튀기는 과정에서는 반죽만 익히면 된다.

커피 한잔의 여유 핫포크랩

| 안심 |

- 분량 : 2인분
- 조리시간 : 40분
- 난이도 : 중급

"우리나라의 청양고추나 고추장, 중국요리에서는 고추기름, 두반장 등, 서양요리에서는 핫소스, 칠리소스 등 각 나라별로도 매운맛이 다양하잖아요. 서양음식은 느끼하다고 안 좋아하는 어른들에게 매콤하고 깔끔한 맛으로 해드리면 입맛에 잘 맞는다고 참 좋아하세요."

Ingredients

재료	소스	밑간
□ 안심 200g	□ 칠리소스 2큰술	□ 소금 1/2작은술
□ 또띠아 2장	□ 마요네즈 1큰술	□ 후춧가루 조금
□ 양상추 2장	□ 소금 1꼬집	
□ 양파 1/4개	□ 후춧가루 조금	
□ 할라피뇨 5개	□ 핫소스 1작은술	
□ 블랙 올리브 5개		
□ 올리브유 2큰술		

Directions

1. 돼지고기는 5cm 길이, 2cm 두께 정도로 준비해서 소금, 후춧가루로 밑간을 30분 정도 한다.

2. 양상추와 양파는 채를 썬다.
   × Tip × 기호에 따라 양배추, 파프리카, 피클을 넣어도 맛있다.

3. 또띠아는 해동하여 데우거나 팬에 살짝 굽는다.
   × Tip × 오래 구우면 또띠아가 부서져서 말기 힘들다.

4. 팬에 올리브유를 두르고 고기를 노릇하게 굽는다.

5. 또띠아 끝부분을 제외한 나머지에 소스를 얇게 바른다. 양상추와 양파, 안심, 할라피뇨, 블랙 올리브를 넣고 돌돌 만다.

✎ N O T E

소스를 많이 바르면 또띠아가 찢어질 수 있다. 접을 때는 양옆을 접고 아래에서 위로 감싸주어 김밥처럼 돌돌 만다. 샌드위치 포장종이로 다시 한 번 돌돌 말면 깨끗하게 정리가 된다.

돼지고기의 품격 안심 인삼롤찜

| 안심 |

🍲 분량 : 2인분

⏰ 조리시간 : 40분

〰 난이도 : 중급

"인삼은 성질이 따뜻하고 맛이 달며 인체의 기운을 돋우고 오장육부의 기를 충족시켜줍니다. 단, 폐에 열이 있거나 고혈압으로 두통 등의 증상이 있는 사람은 피해야 합니다. 안심에 인삼을 함께하면 돼지고기의 품격이 높아집니다."

| 재료 |
□ 안심 300g
□ 인삼 2개
□ 대추 4개

| 소스 |
□ 마요네즈 2큰술
□ 홀그레인 머스터드 1큰술
□ 인삼 1개

| 밑간 |
□ 소금 1/2작은술
□ 후춧가루 조금

1. 안심은 두께 0.5cm 정도로 포를 떠서 넓게 준비하고 소금, 후춧가루로 밑간을 한다.

2. 인삼은 뇌두를 자르고, 껍질을 벗긴다. 두꺼우면 반으로 자른다. 대추는 돌려 깎아서 채를 썬다.

3. 안심에 인삼, 대추를 넣고 돌돌 말아 이쑤시개로 꽂거나 실로 묶는다.

4. 3을 김 오른 찜통에 10분 정도 쪄서 익히고 식으면 2cm 길이로 썬다.

5. 마요네즈와 홀그레인 머스터드, 인삼을 갈아서 소스를 만든다.

6. 접시에 소스와 썰어 놓은 고기를 담는다.

2

3

4

홀그레인 머스터드는 겨자씨를 거칠게 부수어 식초와 향신료를 넣어 만든 머스터드로 겨자씨의 향과 알갱이가 살아 있다. 샐러드 드레싱, 샌드위치 스프레드, 육류 요리 등 여러 가지 요리 소스로 많이 쓰인다.

밥 한 그릇 뚝딱! 안심 카레

| 안심 |

🍲 분량 : 2인분
⏰ 조리시간 : 20분
🎚 난이도 : 초급

"인스턴트나 밀가루 음식은 싫고, 밥이 먹고 싶은데 만들기는 귀찮을 때 있 잖아요. 대충 아무렇게나 썰어서 볶고 카레가루만 넣으면 끝. 직접 만들어 서 안심할 수 있고, 속이 든든해서 더 기분 좋은 한끼예요."

Ingredients

재료	밑간
□ 안심 200g	□ 소금 2꼬집
□ 양파 1/2개	□ 후춧가루 조금
□ 당근 1/6개	
□ 감자 1개	
□ 카레가루 3큰술	
□ 기름 2큰술	

Directions

1. 양파, 감자, 당근은 2×2cm 정도 주사위 모양으로 썬다.

2. 돼지고기는 2.5×2.5cm 정도 주사위 모양으로 썰고 밑간을 한다.

3. 냄비에 기름을 두르고 돼지고기를 노릇하게 굽다가 양파, 당근, 감자 순서로 볶는다.

4. 3에 물을 2컵 넣어 끓이고, 카레가루는 물에 개어서 넣는다.

   ☞Tip☜ 카레가루를 물에 조금 개어서 풀어 넣으면 뭉치는 것도 없고 잘 풀린다. 또는 요즘 간편하게 고형카레가 나오는데, 가루형보다 쉽게 풀려서 편리하다(고형카레의 경우 30g 정도).

5. 뭉근히 끓이다가 농도가 걸쭉해지면 소금, 후춧가루로 간을 한다.

밥 반찬으로 딱! 돼지고기 감자조림

| 등심 |

🍲 분량 : 2인분
⏰ 조리시간 : 30분
🎚 난이도 : 초급

"일본의 대표적인 가정요리 니꾸자가의 주재료인 소고기를 돼지고기로 바꾸었더니, 훨씬 부드러운 우리식 반찬이 되었답니다. 부드러운 감자와 당근이 간장에 조려져 짭조름해 밥반찬으로 좋아요."

| 재료 |
□ 등심 100g
□ 양파 1/2개
□ 감자 1개
□ 당근 1/6개
□ 곤약 1/6모(약60g)
□ 실파 1줄(다지기)
□ 검은깨 조금

| 양념 |
□ 다시마야채육수 1/2컵
□ 간장 2큰술
□ 미림 1큰술
□ 청주 1큰술
□ 설탕 1/2큰술

1. 감자, 당근, 양파, 곤약, 돼지고기는 2×2cm 정도로 큼직하게 썰고, 감자와 당근은 모서리를 깎는다.

   ::Tip:: 감자와 당근의 모서리를 깎으면 익으면서 부서지는 것을 방지할 수 있다.

2. 곤약을 끓는 물에 1분간 데친다.

   ::Tip:: 곤약을 끓는 물에 데치면 가공할 때 석회수로 굳혀진 곤약 특유의 냄새를 제거할 수 있다.

3. 냄비에 돼지고기, 감자, 당근, 곤약, 양념 재료를 넣고 강불로 끓인다.

4. 끓으며 거품이 생기면 걷어내고 중간불로 줄여서 10분간 뭉근히 끓인다.

5. 양파를 넣어 3분간 더 끓이고, 다진 실파와 검은깨를 뿌린다.

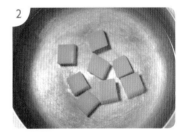

∿NOTE

니꾸자가(肉じゃが)는 소고기나 돼지고기를 감자, 양파 등과 함께 간장, 설탕 등으로 조린 요리를 말한다.

푸짐한 옛날 왕돈까스

| 등심 |

🍲 분량 : 2인분
⏰ 조리시간 : 1시간
🎚 난이도 : 중급

"돈까스는 일본인들이 시합 전이나 시합에서 이겼을 때 먹었다고 합니다.
일본어 카츠에 승리의 뜻이 있어 야구선수 박찬호의 부인도 시합 전마다
박찬호 선수에게 많이 해주었던 메뉴라고 하네요. 중요한 시험이나 경기가
있을 때 왕돈까스 어때요?"

Ingredients

재료	소스	
□ 등심 400g(1cm 두께)	□ 버터 1큰술	□ 물 1/2컵
□ 소금 2꼬집	□ 밀가루 1큰술	□ 소금 1/3작은술
□ 후춧가루 조금	□ 돈까스소스 3큰술	□ 후춧가루 1/3작은술
□ 밀가루 2큰술	□ 토마토케첩 3큰술	
□ 달걀 1개	□ 설탕 2큰술	
□ 빵가루 1컵	□ 땅콩버터 1큰술	
□ 튀김 기름 적당량	□ 머스터드 1작은술	

Directions

1. 돼지고기는 칼끝으로 3cm 간격의 칼집을 내고, 소금, 후춧가루로 밑간을 해서 20~30분 정도 재워둔다.

   ※Tip※ 돼지고기를 구입할 때 돈까스용으로 구입하면 칼집 있는 고기를 살 수 있다.

2. 돼지고기를 밀가루, 곱게 푼 달걀, 빵가루 순서로 옷을 입힌다.

   ※Tip※ 식빵을 만든 지 하루 정도 지난 마른 식빵을 믹서에 갈아서 빵가루로 사용하면 더 촉촉하고 바삭한 돈까스가 완성된다. 너무 마른 상태의 빵가루보다 수분이 있는 빵가루가 더 바삭한 식감을 만들어준다.

3. 튀김 기름은 튀김 팬의 반 정도 높이 정도로 넣어 예열하고 160~170℃의 중불에서 3~4분간 튀긴다.

   ※Tip※ 빵가루를 물이나 달걀을 넣어 꼭꼭 뭉쳐서 넣었을 때 바닥에 내려갔다가 3초 후에 떠오르는 정도가 튀기기 좋은 온도이다.

4. 냄비에 버터를 녹이고 밀가루를 살짝만 볶는다. 밀가루가 한 덩어리로 뭉치면 돈까스소스, 토마토케첩, 설탕, 땅콩버터, 머스터드와 물 1/2컵을 넣고 끓인다. 소스의 농도가 걸쭉해지면 소금, 후춧가루로 간을 한다.

1

2

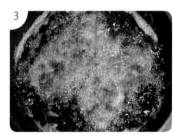

3

돈까스의 변신 피자돈까스

| 등심 |

🍲 분량 : 2인분
⏰ 조리시간 : 40분
🎚 난이도 : 중급

"피자를 먹을까? 돈까스를 먹을까? 짬짜면도 있는데, 피자와 돈까스를 합쳐봐요! 무엇을 먹을까 고민할 필요가 없어요. 특히 아이들이 좋아하는 맞춤요리랍니다."

재료	
□ 등심 200g(1cm 두께)	□ 양송이버섯 1개
□ 밀가루 1큰술	□ 모짜렐라 치즈 5큰술(약 70g)
□ 달걀 1개	□ 소금 1/3작은술
□ 빵가루 1/2컵	□ 후춧가루 조금
□ 양파 1/4개	□ 튀김 기름 적당량
□ 파프리카 1/4개	
□ 옥수수캔 1큰술	│ 피자소스 │
	□ 토마토케첩 3큰술

□ 바질 1/3작은술
□ 오레가노 1/3작은술
□ 소금 2꼬집
□ 후춧가루 조금

 Directions

1. 돼지고기는 칼끝으로 칼집을 내고, 소금, 후춧가루로 밑간을 해서 30분 정도 재워둔다.

2. 돼지고기에 밀가루, 달걀, 빵가루 순서로 튀김옷을 입힌다. 튀김 기름은 튀김 팬의 1/2 정도로 부어서 예열하고 160~170℃ 에서 중불로 3~4분간 튀긴다.

3. 양파, 파프리카는 링으로 가늘게 썰고, 양송이는 편을 썬다.

4. 볼에 토마토케첩, 바질, 오레가노, 소금, 후춧가루를 넣고 섞어서 피자소스를 만들고 돈까스 위에 1큰술 정도 넓게 펴서 바른다.

   ※Tip※ 피자소스에 들어가는 향신 향신료인 바질, 오레가노가 없다면 시판되는 피자소스를 사용하거나 대신 토마토케첩만 발라도 된다.

5. 소스 바른 돈까스 위에 치즈, 채썬 야채, 모짜렐라치즈를 올린다.

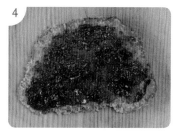

6. 예열된 180℃ 오븐에 7분간 익힌다.

   ※Tip※ 가정의 오븐마다 시간과 온도의 차이는 있을 수 있으므로, 치즈가 녹아서 약간 노릇해질 정도로 굽는다. 오븐이 없으면 전자레인지에 3분만 익혀도 치즈는 충분히 익는다.

✐NOTE

고기위에 피자소스를 얹는 피자 돈까스 외에 다른 식재료 소스를 얹어 다양하게 활용할 수 있다. 식빵, 남은 찬밥 위에 피자소스와 야채, 치즈를 얹어도 색다른 피자로 변화시킬 수 있다.

돈부리 하나면 속이 든든 가츠돈부리

| 등심 |

🍲 분량 : 2인분
⏰ 조리시간 : 1시간
🎚 난이도 : 중급

"돈부리는 밥그릇보다 큰 그릇을 뜻하는 말인데 요즘은 일본식 덮밥을 돈부리라고 합니다. 비비지 말고 밥에 재료를 조금씩 얹어서 먹어야 제 맛을 느낄 수 있습니다. 줄여서 가츠돈으로 부르기도 하는데, 새우를 튀겨서 얹으면 에비돈, 소고기를 얹으면 규돈, 돼지고기를 얹으면 부타돈이라고 합니다. "

재료	
□ 등심 200g(1cm 두께)	□ 소금 1/3작은술	□ 청주 1큰술
□ 밀가루 1큰술	□ 후춧가루 조금	
□ 달걀 3개	□ 튀김 기름 적당량	
□ 빵가루 1/2컵		
□ 양파 1/6개		소스(1인분)		
□ 대파 1/4개	□ 다시마야채육수 1/2컵	
□ 밥 1공기	□ 간장 1큰술	
	□ 미림 1큰술	

 Directions

1. 돼지고기는 칼끝으로 칼집을 내고, 소금, 후춧가루로 밑간을 해서 30분 정도 재워둔다. 돼지고기에 밀가루, 달걀, 빵가루 순서로 옷을 입힌다.

2. 튀김 기름은 튀김 팬의 1/2 높이로 올라오게 넣어서 예열하고 튀김옷을 입힌 고기를 160~170℃에서 중불로 3분간 튀긴다.
   Tip 돼지고기는 소스를 끓이며 더 익으므로 튀길 때는 80~90% 정도만 익히면 된다.

3. 양파는 3~4mm 정도로 굵게 채를 썰고, 대파는 송송 썬다.

4. 작은 팬에 소스 재료와 양파를 넣고 중불에서 3분 정도 끓인다.

5. 돈까스를 4의 팬에 넣고, 달걀을 성기게 풀어 달팽이 모양으로 끼얹고, 뚜껑을 닫고 30초 정도 끓인다.
   Tip 뚜껑을 닫고 달걀을 반숙만 익혀야 먹을 때 부드럽다.

6. 밥 위에 돈까스와 소스, 대파를 담는다.

NOTE

가츠돈부리는 작은 팬에 1인분씩 소스를 끓이고 만들어야 맛있다. 여러 명이 함께 먹을 분량을 준비할 때 번거롭더라도 각각 1인분씩 만드는 게 좋다.

김 대신 고기로 돌돌 말은 야채 깻잎 롤까스

| 등심 |

- 🍲 분량 : 2인분
- ⏰ 조리시간 : 1시간
- 🎚 난이도 : 중급

"돼지고기를 기름에 튀겨서 칼로리 걱정으로 속이 느끼하고 질릴 때, 속 안에 야채와 깻잎을 넣어서 롤까스로 변신 시켜보세요. 깻잎 향 때문에 돼지고기의 누린내 걱정도 없고, 야채들이 골고루 들어 있어 깔끔한 뒷맛이 일품이랍니다".

| 재료 |
| 등심 200g(0.2cm 두께) |
| 밀가루 1큰술 |
| 달걀 1개 |
| 빵가루 1/2컵 |
| 양파 1/4개 |
| 당근 1/4개 |
| 파프리카 1/4개 |

| 깻잎 4장 |
| 소금 1/3작은술 |
| 후춧가루 조금 |
| 튀김 기름 적당량 |

| 돈까스소스 |
| 간 양파 1/4컵(양파 1/4 개 분량) |

| 간 파인애플 1/4컵(캔 파인애플 링 1.5개) |
| 우스터소스 2큰술 |
| 돈까스소스 4큰술 |
| 토마토케첩 3큰술 |
| 머스터드 1큰술 |

 Directions

1. 돼지고기는 칼등으로 두들기고, 소금, 후춧가루로 밑간을 해서 20~30분 정도 재워둔다.

2. 양파, 당근, 파프리카는 3mm 정도로 채를 썬다.

3. 돼지고기에 한 면에 밀가루를 살짝 뿌리고 깻잎을 그 위에 깔고, 채썬 야채를 김밥 말듯이 돌돌 만다.

4. 돌돌 만 돼지고기를 밀가루, 달걀, 빵가루 순서로 옷을 입힌다.

5. 튀김 기름은 튀김 팬의 1/2 정도 높이로 넣어서 예열하고 160~170℃에서 중불로 3~4분간 튀긴다.
   》Tip》 튀긴 롤까스는 식힘망 위에 공기가 통하도록 기름이 빠지게 두어야 더 바삭하다.

6. 분량의 돈까스소스 재료를 모두 냄비에 넣어 걸쭉하게 끓여, 돈까스에 곁들인다.

2

3

4

ℓNOTE

* 속재료는 집에 남는 야채를 넣어 다양하게 활용해 보자.
* 치즈를 넣었을 때는 바깥으로 치즈가 흘러나오므로 치즈를 가장자리까지 넣지 않는다.
* 야채만 넣었을 때는 이쑤시개로 고정하지 않아도 풀리거나 재료가 흘러나오지 않는다.

매콤, 새콤, 달콤 샐러드를 곁들인 유림육

| 등심 |

🍲 분량 : 2인분

⏰ 조리시간 : 1시간

🎐 난이도 : 중급

"양상추나 샐러드 야채를 깔고, 튀긴 닭고기를 올린 중국 음식 유림기를 응용한 메뉴예요. 닭고기 대신 돼지고기 등심을 넣어 유림육을 만들었습니다. 야채를 곁들여서 느끼한 맛을 싹 잡아주고, 소스의 마늘은 돼지고기의 비타민 흡수율을 높여줍니다."

재료		
등심 200g(1cm 두께)	□ 빵가루 1/2컵	□ 물 4큰술
청주 1큰술	□ 튀김 기름 적당량	□ 간장 2큰술
간장 1/2큰술		□ 식초 2큰술
후춧가루 조금	소스	□ 설탕 2큰술
양상추 1/6통	□ 대파 1/2대	□ 후춧가루 조금
밀가루 2큰술	□ 홍고추 1개	□ 참기름 1큰술
달걀 1개	□ 풋고추 1개	
	□ 다진 마늘 1큰술	

Directions

1. 두께 1cm 정도의 등심에 청주, 간장, 후춧가루로 밑간한다.
   ※Tip※ 고기의 밑간은 간장이나 소금으로 하고, 청주나 생강즙 등은 고기 특유의 누린내를 잡아줄 수 있다. 완성된 음식의 색이나 풍미에 따라 밑간을 다르게 하면 음식의 맛을 더 살릴 수 있다.

2. 양상추는 심에서 분리해 찬물에 10분 정도 담궈 싱싱하게 하고, 한입 크기로 찢고 물기를 뺀다.

3. 대파는 송송 썰고, 고추는 굵게 다진다. 소스는 분량대로 섞어 만든다.
   ※Tip※ 아이들과 함께 먹을 때는 고추 대신 파프리카를 이용해도 좋다.

4. 돼지고기는 밀가루, 달걀, 빵가루 순서로 옷을 입힌다.

5. 튀김 기름은 튀김 팬의 1/2 정도 높이로 넣어서 예열하고 160~170℃에서 중불로 3~4분간 튀긴다.

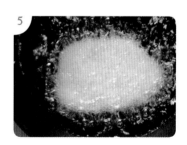

6. 접시에 양상추를 깔고 튀긴 고기를 잘라서 얹은 뒤, 소스를 끼얹어 낸다.
   ※Tip※ 소스를 미리 끼얹으면 튀김이 눅눅해지므로 먹기 직전에 끼얹거나 따로 곁들여 내는 것이 좋다.

알록달록 무지개 색깔 등심 파프리카잡채

| 등심 |

🍲 분량 : 2인분

⏰ 조리시간 : 30분

🎚 난이도 : 초급

"중국식 고추잡채에서 고추 대신 파프리카와 피망을 듬뿍 넣으면 색도 곱고, 매운맛이 적어 아이들도 좋아해요. 따끈한 꽃빵에 돌돌 말아 싸먹으면 담백하고 맛있는 만두 먹는 기분이에요. 고추잡채에 꽃빵이 없다면 앙꼬 없는 찐빵이나 다름없어요."

Ingredients

재료		생강 약간	소스

재료
▫ 등심 100g
▫ 피망 1개
▫ 파프리카 1개
▫ 양파 1/4개
▫ 표고버섯 2개
▫ 대파 1/4대
▫ 마늘 2쪽

▫ 생강 약간
▫ 기름 2큰술
밑간
▫ 소금 2꼬집
▫ 후춧가루 조금
▫ 청주 1큰술

소스
▫ 간장 1작은술
▫ 청주 1큰술
▫ 굴소스 1작은술
▫ 후춧가루 조금
▫ 참기름 1큰술

Directions

1. 돼지고기는 2~3mm 두께 정도로 채를 썰어 소금, 후춧가루, 청주로 10분 정도 밑간을 한다.

2. 피망, 파프리카, 양파, 표고버섯, 대파, 마늘, 생강은 2~3mm 정도로 채를 썰어 준비한다.

3. 팬에 기름을 두르고 대파, 마늘, 생강을 볶아 향을 낸다.

4. 3에 돼지고기를 넣고 센불에서 겉면이 익을 정도로 1분 정도 볶고 팬에 양파, 버섯을 넣어 1분간 더 볶아 양파를 투명하게 한다. 다시 피망, 파프리카를 넣어 30초간 빠르게 볶으면서 소스를 넣는다.

   ※Tip※ 재료를 빠른 시간 내에 강한 불에서 볶아야 맛이 좋은데, 익숙하지 않을 때는 중불에서 볶아 준다. 단, 너무 오래 볶을 경우 물이 생기거나 재료의 색이 변할 수 있다.

NOTE

파프리카 대신 풋고추를 사용하면 알싸한 매운맛 때문에 뒷맛이 깔끔해서 좋다. 만드는 법이 간단해서 자주 즐겨먹을 수 있는 메뉴이다.

매콤 달콤, 기름기는 쏙 도니도니 돈강정

| 등심 |

🍲 분량 : 4인분

⏰ 조리시간 : 1시간

🎚 난이도 : 중급

"야식으로 닭강정이 참 좋은데, 너무 달고 기름져서 먹고 나면 후회해요. 설탕을 줄이고, 깨끗한 식물성 기름으로 집에서 요리하면 안심할 수 있습니다. 게다가 기름이 적은 등심 부위로 튀기면 담백하기까지 하죠. 나들이 갈 때 소풍도시락으로도 좋은 인기 메뉴예요."

Ingredients

재료	튀김 반죽	
□ 등심 600g	□ 녹말가루 1컵	□ 칠리소스 4큰술
□ 떡볶이용떡 10개	□ 달걀 흰자 1개	□ 고춧가루 4큰술
□ 소금 1작은술	□ 물 1/4컵	□ 간장 3큰술
□ 후춧가루 약간		□ 고추기름 3큰술
□ 튀김 기름 적당량	소스	□ 다진 마늘 3큰술
□ 땅콩분태 3큰술	□ 설탕 4큰술	□ 생강즙 1작은술
	□ 토마토케첩 4큰술	

Directions

1. 등심은 2×2cm 정도로 자르고, 소금, 후춧가루에 20~30 분 정도 밑간을 한다.

2. 떡은 등심 크기로 먹기 좋게 자른다. 떡이 딱딱할 경우 끓는 물에 살짝 데쳐서 말랑말랑하게 한다.

3. 녹말가루와 달걀흰자, 물을 섞어서 튀김 반죽을 만들고 등심 에 튀김옷을 입힌다. 튀김 기름은 튀김 팬의 1/2 정도 높이 로 넣어서 예열하고 160~170℃에서 튀긴다.

   ※Tip※ 떡은 오래 튀길 경우 떡이 기름과 함께 튀어서 화상을 입을 수 있으므 로 1분 미만으로 튀기거나 안전하게 팬에 기름을 두르고 살짝 굽는 것 이 좋다.

4. 팬에 소스 재료를 넣고 익히다 끓어오르면 튀겨 놓은 돼지고 기와 떡을 넣고 버무린 후 땅콩분태를 뿌리고 불을 끈다.

   ※Tip※ 땅콩분태는 땅콩을 거칠게 다져 놓은 상태를 말하는데 구하기 어렵 다면 볶은 땅콩을 구입한 후에 거칠게 빻아서 사용하거나, 아몬드, 호 두 등 견과류를 다져서 뿌려도 좋다.

추억의 맛 간장 떡볶이

| 등심 |

- 🍲 분량 : 2인분
- ⏰ 조리시간 : 30분
- 〰️ 난이도 : 초급

"어릴 적 매운 것을 못 먹어 떡볶이를 물에 헹구어가면서 먹었던 기억이 나요. 궁중떡볶이라고 간장으로 만든 떡볶이가 알려지면서 많이 해먹게 되었는데요. 여기에 고구마, 양배추를 첨가해보니 더 달콤하고, 표고버섯을 넣으니 감칠맛 나는 떡볶이가 되었어요."

| 재료 |

- 등심 300g
- 떡볶이떡 200g
- 파프리카 1개
- 양파 1/4개
- 양배추 2장
- 고구마 1/2개
- 표고버섯 1개

- 간장 1작은술
- 참기름 1큰술
- 기름 2큰술

| 고기 밑간 |

- 간장 1작은술
- 후춧가루 조금
- 청주 1큰술

| 양념 |

- 간장 1큰술
- 굴소스 1/2큰술
- 설탕 1큰술
- 참기름 1큰술
- 물 1/2컵

1. 떡볶이떡은 끓는 물에 살짝 데쳐서 찬물로 헹구고, 간장 1작
   은술, 참기름 1큰술에 밑간을 한다.
   ＊Tip＊ 미리 밑간을 해두어야 간이 배이고, 볶을 때 떡끼리 들러붙는 걸 방지
   해준다.

2. 등심은 채를 썰어서 간장, 후춧가루, 청주로 밑간을 한다.

3. 양파, 파프리카, 양배추, 고구마, 표고버섯은 5mm 정도로
   굵게 채를 썬다.

4. 팬에 기름을 두르고 양파를 볶다가 돼지고기를 넣어 볶는다.

5. 양배추, 고구마, 표고버섯, 떡볶이떡을 넣어 살짝 볶고 양념
   장을 넣어 끓인다.

6. 국물이 거의 졸아들면 마지막에 파프리카를 넣는다.

♪NOTE

은은하게 매콤한 맛이 나길 원할 때는 고추기름에 재료를 볶으면 좋다.
아이들은 재밌는 모양을 좋아하니 별모양, 알파벳 모양 떡으로 간장떡볶이를
해준다면 행복한 식탁이 될 것이다. 여러 종류의 떡들은 마트나 대형 슈퍼마
켓에서 쉽게 구입할 수 있다.

한번 먹어보면 반하는 맛 표고버섯조림

| 등심 |

- 🍲 분량 : 2인분
- ⏰ 조리시간 : 30분
- 〰 난이도 : 중급

"표고버섯은 돼지고기와 함께 섭취하면 버섯의 식이섬유소가 돼지고기의 콜레스테롤의 흡수를 지연시키는 역할을 하여 궁합이 잘 맞는 음식이에요. 풍부한 식이섬유소는 배변의 양과 속도에도 좋은 효과가 있고, 암에 대한 저항력, 면역력을 강하게 하는 작용이 있는 건강한 식품입니다."

Ingredients

재료	양념	조림장
□ 생표고버섯 8개	□ 소금 1/3작은술	□ 간장 2큰술
□ 새우살 200g	□ 다진 마늘 1작은술	□ 설탕 1큰술
□ 다진 등심 100g	□ 후춧가루 조금	□ 다시마야채육수 1컵
□ 녹말가루 2큰술	□ 깨소금 1꼬집	
□ 기름 3큰술	□ 참기름 1작은술	

Directions

1. 생표고버섯은 기둥을 제거한다.
   ※Tip※ 취향에 따라 표고버섯 윗면에 십자 모양 등을 낸다.

2. 새우살은 굵게 다지고, 돼지고기와 섞어 양념 재료를 넣어 양념을 한다.

3. 생표고버섯 안쪽 면에 고기소를 채워 넣는다. 새우를 한 개씩 넣어주면 씹는 맛이 좋다.
   ※Tip※ 만약 통 새우를 한 개씩 넣는다면 모두 다지지 말고, 새우를 표고버섯 수만큼 남겨놓는다.

4. 팬에 기름을 두르고 녹말을 3의 표고버섯에 묻혀서 중불로 노릇하게 굽는다.
   ※Tip※ 이때 80% 정도만 익히고 나머지는 조림장을 넣고 익힌다.

5. 조림장 재료를 섞어 조림장을 만든 뒤 4에 넣어 국물을 끼얹어 가면서 윤기나게 조린다.

인기 만점 미트소스 오븐파스타

| 등심 |

🍲 분량 : 2인분
⏰ 조리시간 : 30분
🎚 난이도 : 중급

" 스파게티, 링귀네, 페투치네, 엔젤헤어, 펜네, 부가티니 등 파스타 면은 종류에 따라 이름도 다양해요. 오일 소스는 가는 면이나 스파게티면, 크림 소스는 넓은 면이나 스파게티면, 토마토 소스는 모두 잘 어울려요. 파스타 면, 취향에 따라 골라먹는 재미가 있죠? "

Ingredients

재료	
▫ 푸실리 160g	▫ 설탕 1큰술
▫ 등심 100g(다지기)	▫ 오레가노 1/2작은술
▫ 마늘 3쪽	▫ 바질 1/2작은술
▫ 양파 1/4개	▫ 올리브유 4큰술
▫ 당근 1/8개	▫ 소금 1/3작은술
▫ 셀러리 5cm 1대	▫ 후춧가루 조금
▫ 홀토마토 2컵(약 400g)	▫ 파마산치즈가루 2큰술
▫ 소금 1큰술(삶는용)	▫ 모짜렐라치즈 1컵

Directions

1. 마늘, 양파, 당근, 셀러리는 굵게 다진다. 다진 후 각각 종류별로 따로 분리해 놓는다.

2. 냄비에 물을 넣고 소금 1큰술을 넣어 푸실리를 8~10분 정도 삶는다.
   ※Tip※ 면마다 삶는 시간이 다르니 구입한 파스타의 포장에 적혀 있는 익히는 시간을 꼭 확인한다.

3. 팬에 올리브유를 두르고 마늘, 돼지고기를 약불에서 1분간 볶는다. 1에서 손질한 채소를 양파와 당근, 셀러리 순서로 노릇하게 볶는다.

4. 냄비에 간 홀토마토와 설탕을 넣어 3분 정도 신맛이 날아가게 끓인다.
   ※Tip※ 홀토마토는 플럼토마토가 통으로 들어 있는 캔제품이다. 플럼토마토는 길쭉하고 색이 진하며 씨가 적고 단단해서 토마토소스로 많이 쓰이는 토마토이다.

5. 삶은 면, 오레가노, 바질, 소금, 후춧가루를 넣어 간을 맞춘다.

6. 오븐 용기에 담고 모짜렐라 치즈를 뿌려서 200℃로 예열된 오븐에 5분 정도 노릇하게 구운 후 파마산치즈가루를 뿌린다.

♪ N O T E

푸실리는 꼬불꼬불 나사모양으로 생긴 짧은 파스타이다. 이 면은 토마토소스, 냉파스타, 오븐파스타에 잘 어울린다.

음식도 마음도 넉넉한 포크 스튜

| 등심 |

🍲 분량 : 2인분
⏰ 조리시간 : 30분
🎚 난이도 : 중급

"스튜는 고기와 야채를 큼직하게 썰어서 뭉근하게 끓인 음식으로 우리나라 갈비찜이나 찌개와 비슷한 음식이에요. 양을 많을수록, 그리고 오랫동안 푹 끓일 수록 맛과 향이 진하고 풍부해지니까 오늘은 지인들을 초대해서 넉넉하게 만들어 보세요."

재료		후춧가루 조금		물 1/2컵
등심 200g				월계수잎 2장
양파 1/2개		밑간		마늘 2쪽
당근 1/4개		소금 1꼬집		바질가루 1작은술
감자 1개		후춧가루 조금		
셀러리 10cm 1대				마지막 간
버터 2큰술		양념		소금 1/2작은술
밀가루 2큰술		홀토마토 1컵		후춧가루 약간
소금 1/2작은술		레드와인 1/2컵		

1. 양파, 감자, 당근, 셀러리는 2×2cm 정도 주사위 모양으로 썬다.
   ※Tip※ 감자와 당근의 모서리를 깎으면 익히는 중에 부서지는 것을 방지할 수 있다.

2. 돼지고기는 2.5×2.5cm 주사위 모양으로 썰고 밑간을 한다.

3. 냄비에 버터 2큰술을 녹이고 돼지고기에 밀가루를 묻혀서 노릇하게 굽다가 양파, 당근, 감자, 셀러리 순서로 볶는다.
   ※Tip※ 돼지고기에 밀가루를 묻혀서 구우면 육즙이 빠져나가는 것을 방지해 주고, 색을 더 좋게 하며, 냄새 제거에도 효과적이다.

4. 겉면이 노릇해졌으면 야채 볶음 냄비에 밀가루 2큰술을 두르고 노릇하게 볶는다.

5. 여기에 양념 재료를 모두 넣고 뭉근히 재료가 익을 때까지 끓인다.
   ※Tip※ 소고기 육수가 있다면 물 대신 사용하고, 와인이 없다면 물로 대체 가능하다. 와인은 너무 저렴하지 않고, 신맛이 적은 레드와인을 선택한다.

6. 소금, 후춧가루로 간을 한다.

삼겹살과
갈비

일본식 부침개 오꼬노미야끼

| 삼겹살 |

- 분량 : 2인분
- 조리시간 : 30분
- 난이도 : 초급

"냉장고에 조금씩 재료가 남았을 때 다져서 볶음밥도 해먹고, 부침개도 해먹죠. 이게 질릴 때는 조금 더 응용해서 일본식 부침개인 오꼬노미야끼를 만드는 거예요. 재료는 해물, 베이컨, 야채 등 좋아하는 재료를 더 넣어도 괜찮아요. 조금만 더 신경 쓰면 식탁이 달라질 수 있어요."

Ingredients

| 재료 |
- 양배추 1/8통
- 양파 1/4개
- 숙주 100g
- 삼겹살 100g(2mm 두께)
- 생표고버섯 2개
- 가쓰오부시 50g
- 돈까스소스 4큰술
- 마요네즈 1큰술

- 파슬리가루 조금
- 기름 3큰술

| 반죽 |
- 밀가루 1컵
- 물 1컵
- 소금 1꼬집

Directions

1. 양배추, 양파, 표고버섯은 채를 썬다.

2. 반죽 재료를 섞어 반죽을 만든다.

3. 반죽에 양배추, 양파, 표고버섯, 숙주를 넣어 섞는다.
   ※Tip※ 오꼬노미야끼는 우리나라 부침개와 달리 얹는 재료가 반죽보다 푸짐
   하다.

4. 팬에 기름을 두르고 반죽을 두껍게 올려 부치고 그 위에 삼겹
   살을 올리고 약불로 익힌다. 밀가루 반죽물을 삼겹살 위에 조
   금 올리면 삼겹살과 반죽이 잘 밀착된다.
   ※Tip※ 오꼬노미야끼는 두껍게 부치므로 약한 불로 은근히 익혀야 한다. 뚜껑
   을 덮으면 더 잘 익는다. 삼겹살을 채썰어서 반죽과 섞어 부쳐도 괜찮
   다.

5. 뒤집어서 고기와 속을 익힌다.

6. 익은 오꼬노미야끼에 돈까스 소스를 넓게 펴 바르고, 파슬리가
   루, 마요네즈, 가쓰오부시를 뿌린다.

찰떡궁합 부추말이 삼겹살

| 삼겹살 |

- 분량 : 12개
- 조리시간 : 30분
- 난이도 : 중급

"차가운 성질의 삼겹살은 따뜻한 성질의 식품과 함께 먹어야 궁합이 좋습니다. 부추는 몸을 따뜻하게 해주고 신경을 안정시켜주는 역할을 하는데, 삼겹살과 궁합이 딱이에요. 부추말이 삼겹살뿐 만 아니라 돼지고기 볶음요리에도 부추를 넣어 요리해 보세요."

Ingredients

재료	밑간
□ 부추 1/8단(50g)	□ 소금 1작은술
□ 양파 1/2개	□ 후춧가루 1작은술
□ 팽이버섯 2봉	□ 청주 2큰술
□ 삼겹살 300g(2mm 두께)	
□ 고운 고춧가루 1큰술	

Directions

1. 삼겹살 길이가 길면 잘라서 약 15cm 정도로 준비하고 소금, 후춧가루, 청주를 뿌려서 10분간 재워둔다.
   ※ Tip ※ 고기가 두꺼우면 잘 안 익을 수 있으므로 얇은 것을 준비하거나 구입 시 포를 뜬다.

2. 부추, 팽이버섯은 길이 5cm 정도로 썰고, 양파는 2~3mm 정도로 채를 썬다.

3. 삼겹살에 부추, 팽이버섯, 양파를 넣고 돌돌 만다.

4. 팬에 삼겹살 말이를 굴려가면서 굽고, 고운 고춧가루를 조금 뿌린다.
   ※ Tip ※ 약한 불에서 익혀야 겉은 타지 않고 속은 잘 익는다. 너무 굴리면 풀어질 수 있으므로 주의한다.

✐ N O T E

삼겹살 대신 베이컨을, 고춧가루 대신 칠리파우더나 케이준 가루를 뿌리면서 구우면 와인 안주로도 좋아요. 삼겹살에 된장을 바르고 구우면 한식 스타일의 레스토랑요리가 돼요.

면이 오동통 탱글탱글 삼겹살 야끼우동

| 삼겹살 |

🍲 분량 : 2인분
⏰ 조리시간 : 20분
🎏 난이도 : 초급

"철판요리집에 가면 야채와 소바를 볶아서 뜨끈뜨끈한 철판에 얹어주는데, 비가 오면 칼국수와 수제비가 생각나듯 야끼소바가 생각나요. 간편하게 구입할 수 있는 쫄깃한 우동면으로 따끈한 우동을 해먹을까? 볶아먹을까? 고민하다가 오늘은 야끼우동입니다."

Ingredients

| 재료 |
□ 우동면 2개(230g)
□ 삼겹살 3줄(약 200g)
□ 양파 1/2개
□ 당근 1/4개
□ 표고버섯 2개
□ 양배추 4장
□ 숙주 100g

□ 가쓰오부시 1줌(50g)
□ 마요네즈 1큰술
□ 기름 2큰술

| 삼겹살 밑간 |
□ 소금 2꼬집
□ 후춧가루 조금
□ 청주 1큰술

| 양념장 |
□ 우스터소스 2큰술
□ 돈까스소스 4큰술
□ 굴소스 2큰술
□ 토마토케첩 2큰술
□ 물엿 2큰술
□ 후춧가루 조금

Directions

1. 양파, 양배추, 당근, 표고버섯은 3mm 정도로 채를 썰어 준비한다. 삼겹살도 먹기 좋은 크기로 채를 썰고 소금, 후춧가루, 청주로 밑간을 한다.

2. 끓는 물에 우동면을 삶아 쫄깃하게 준비한다.
   ※Tip※ 진공 팩에 판매하는 우동은 너무 오래 익히면 붇게 되므로 끓는 물에 30초 정도만 살짝 데쳐 기름기만 제거한다. 젓가락으로 너무 풀려고 저으면 면이 끊어지니까 들러 붙지 않을 정도로만 저어준다.

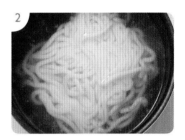

3. 팬에 기름을 두르고 삼겹살을 넣어서 볶다가 양배추, 양파, 당근, 표고버섯을 넣고 볶은 뒤, 우동면, 숙주와 양념장을 넣어서 볶는다.

4. 숙주가 숨이 죽으면 그릇에 담고 마요네즈와 가쓰오부시를 뿌린다.

이것이 퓨전요리 김치 삼겹살 두반장볶음

| 삼겹살 |

- 분량 : 2인분
- 조리시간 : 20분
- 난이도 : 초급

"집에서 매일 똑같은 반찬만 먹을 수는 없는 법. 이것저것 양념을 사다보면 유통기한 지나서 버리기 일쑤예요. 마파두부나 짬뽕을 해먹고 남은 두반장을 삼겹살 볶을 때 조금만 넣어보세요. 매콤하고 칼칼한 두반장이 삼겹살의 느끼함을 싹 잡아줘요."

재료	고기밑간	☐ 간장 1작은술
☐ 삼겹살 200g	☐ 청주 1큰술	
☐ 김치 200g	☐ 후춧가루 조금	녹말물
☐ 양파 1/4개	☐ 간장 1작은술	☐ 녹말가루 1큰술
☐ 청피망 1/4개		☐ 물 1큰술
☐ 대파 1/3대	양념장	
☐ 고추기름 2큰술	☐ 두반장 1큰술	
☐ 마늘 2쪽	☐ 청주 1큰술	

Directions

1. 삼겹살은 굵게 채를 썰어서 청주, 간장, 후춧가루로 밑간을 한다.

2. 김치, 피망, 양파, 대파는 2×2cm 정도로 썰고, 마늘은 편을 썬다.

3. 팬에 고추기름을 두르고 대파, 마늘을 볶아 향을 내고 삼겹살과 김치를 볶는다.

4. 고기가 익으면 양파, 청피망, 양념을 넣어 볶다가 녹말물을 넣어 윤기를 낸다.

NOTE

김치 삼겹살 두반장볶음에 오징어를 넣어서 오삼불고기를 해먹어도 색다른 맛이 난다. 오징어는 오래 익히면 질겨지므로 강한 불로 빨리 볶아야 하고, 삼겹살이 익은 후에 오징어를 넣으면 된다.

기름기가 쫙 빠진 삼겹살허브오븐구이

| 삼겹살 |

- 분량 : 2인분
- 조리시간 : 2시간 ~ 2시간 30분
- 난이도 : 초급

"삼겹살 하면 기름도 많고, 맛내기 어려운 식재료라고 생각하는 사람이 많아요. 팬에 구워만 먹지 말고 오븐에 구워보세요. 기름기가 쫙~ 빠져서 담백해서 자꾸 손이 가요. 각종 허브로 밑간해서 구우면 냄새 제거는 물론 오감을 만족시켜 손님 초대상으로 너무 좋아요."

Ingredients

재료	마리네이드
□ 통삼겹살 600g	□ 소금 1작은술
□ 방울토마토 5개	□ 통후추 5알
□ 새송이버섯 2개	□ 타임 1/2작은술
□ 마늘 10쪽	□ 로즈마리 2줄기
	□ 레드와인 3큰술
	□ 올리브유 5큰술

Directions

1. 통삼겹살에 어슷하게 사방으로 칼집을 넣고 마리네이드 재료
   는 2/3만 삼겹살 표면에 골고루 발라서 1~2시간 정도 냉장고
   에서 숙성시킨다.
   ※Tip※ 양념이 조금 더 잘 배이고, 부드러운 식감을 위해서 삼겹살에 칼집을
   넣었으나 어려울 때는 생략가능하다.

2. 새송이버섯은 납작하게 편을 썬다.

3. 새송이 버섯, 통마늘, 방울토마토에 남은 마리네이드 재료인
   소금, 통후추, 로즈마리, 타임, 올리브유를 뿌린다. 삼겹살은
   쿠킹호일에 싸서 200℃ 정도의 오븐에 넣어 익힌다.

4. 20분쯤 지나 오븐에서 삼겹살을 꺼내서 앞뒤를 바꾸어 골고루
   10분간 익도록 한다. 이때 새송이버섯, 통마늘, 방울토마토
   같이 굽는다.
   ※Tip※ 야채를 처음부터 삼겹살과 구우면 타게 되므로 익기 10분 전에 꺼내어 넣
   는다.

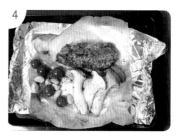

5. 삼겹살은 1cm 두께로 썰고, 야채를 곁들인다.

NOTE

마리네이드(marinade)는 고기나 생선 등을 조리하기 전에 육질을 부드럽게 하
고, 맛이 배게 하기 위해 재워두는 와인, 향신료, 올리브유 등을 말한다.
조리시간은 마리네이드 시간까지 포함하였다.

깔끔 담백한 삼겹살수육

| 삼겹살 |

🍲 분량 : 2인분
⏰ 조리시간 : 40분
🍴 난이도 : 중급

"김장 김치 한 날 빠지면 안 되는 삼겹살수육. 어떻게 하든 신선한 고기와 맛있는 김치만 있다면 충분합니다. 꼭 김장김치를 하지 않더라도 입맛 없는 날 새콤달콤한 무생채와 함께 먹어도 그만이에요."

Ingredients

| 고기 수육 |
□ 통삼겹살 600g
□ 양파 1개
□ 무 5cm, 1/4개(100g)
□ 통후추 10알
□ 마늘 5쪽
□ 생강 1톨(20g)
□ 대파 잎 5장

□ 물 2L(10컵)

| 무생채 |
□ 무 5cm 1토막(200g)
□ 고춧가루 3큰술
□ 식초 3큰술
□ 설탕 2큰술
□ 마늘 1큰술

□ 깨소금 조금
□ 생강 1/2작은술
□ 소금 2작은술

Directions

1. 물 2L에 양파, 무, 대파, 마늘, 생강, 통후추를 넣고 끓인다.
   ※Tip※ 고기를 삶을 때 계피, 팔각, 월계수잎, 된장, 커피, 녹차 등 집에 있는
   향신 재료를 넣으면 고기의 잡냄새를 제거할 수 있다.

2. 끓으면 통삼겹살을 넣고 뚜껑을 연 채 10분 정도 끓이다가 중
   불로 뚜껑을 닫고 30분 정도 더 익힌다.
   ※Tip※ 젓가락으로 찔러봐서 고기의 핏물이 나오거나, 단면을 잘랐을 때 분
   홍색이면 익지 않은 것이다.

3. 무는 5mm로 굵게 채를 썰고, 무 생채 재료를 넣어 조물조물 버
   무린다.

4. 다 익은 삼겹살은 한 김 나간 후 1cm 정도의 두께로 먹기 좋게 자
   른다.

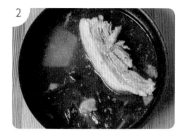

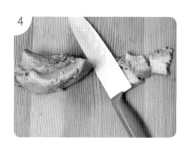

그윽한 와인숙성 삼겹살조림

| 삼겹살 |

- 분량 : 2인분
- 조리시간 : 40분
- 난이도 : 중급

"와인의 폴리페놀 성분은 세포 생성을 촉진해 노화방지와 피부를 매끄럽게 해주고, 기미나 주근깨 등을 예방해줍니다. 변비에도 효과적이며, 성인병, 암 예방에 도움이 됩니다. 적당한 와인은 분위기는 물론 건강에도 좋습니다."

| 재료 |

□ 통삼겹살 600g

| 수육 |

□ 양파 1개
□ 무 5cm 1/4개(100g)
□ 통후추 10알
　마늘 5쪽

□ 생강 1톨(20g)
□ 대파잎 5장
□ 물 2L(10컵)
□ 월계수잎 2장

| 와인 소스 |

□ 물 1컵
□ 레드와인 1컵

□ 간장 5큰술
□ 월계수잎 3장
□ 통후추 5알
□ 설탕 2큰술

1. 물 2L에 통양파, 무, 대파, 마늘, 생강, 월계수잎, 통후추를 넣고 끓인다.

2. 끓으면 통삼겹살을 넣고 뚜껑을 열고 10분 정도 끓이다가 중불로 뚜껑 닫고 30분 정도 익히고 삼겹살은 건진다.
   ≫Tip≫ 소스를 넣고 한 번 더 졸일 것이므로 푹 삶지 않아도 된다.

3. 냄비에 와인소스를 넣고 끓이고 끓으면 삼겹살을 넣고 소스를 끼얹어가면서 걸쭉해질 때까지 조린다.

4. 삼겹살은 1cm 두께로 썰고, 남은 와인소스는 삼겹살 위에 뿌린다.

소동파가 즐겨 먹었다는 동파육

| 삼겹살 |

- 분량 : 2인분
- 조리시간 : 1시간
- 난이도 : 중급

"중국 송나라 시대의 시인 소동파가 항저우에 좌천된 후 조리법을 만들어 유명해진 동파육. 고기를 삶고, 지지듯 튀겨내고, 소스에 조리기까지... 다양한 조리 방법으로 만들기는 어렵지만 먹고 나면 소동파도 반했다는 독특한 풍미에 매료될 거예요."

Ingredients

┃재료┃	□ 대파잎 5장	□ 물 2컵	□ 대파 1/2대
□ 삼겹살 600g	□ 통생강 1쪽(20g)	□ 간장 4큰술	□ 마늘 3개
□ 청경채 3줄	□ 마늘 5쪽	□ 청주 2큰술	□ 생강 1톨(20g)
	□ 통후추 10알	□ 황설탕 1큰술	
┃고기 삶는 육수┃	□ 월계수잎 1장	□ 후춧가루 1/3작은술	┃녹말물┃
□ 팔각 2개	□ 물 2L	□ 참기름 1큰술	□ 녹말가루 1큰술
□ 계피 1줄(10g)		□ 팔각 1개	□ 물 1큰술
	┃동파육 소스┃		

Directions

1. 물 2L에 고기 삶는 육수 재료를 넣고 끓인다. 끓으면 통삼겹살을 넣고 뚜껑을 열고 10분 정도 끓이다가 중불로 뚜껑을 닫고 30분 정도 익힌다.

2. 청경채는 끓는 소금물에 살짝 데치고 찬물에 헹군다.

   » Tip « 팔각은 8개의 꼭지점이 있는 별모양의 향신료로 강하고 독특한 향은 요리 재료의 잡내를 없애줘 중국음식의 필수 향신료로 고기요리에 많이 쓰인다.

3. 익힌 삼겹살의 겉면에 간장을 바르고 기름에 튀겨낸다.

   » Tip « 넉넉한 기름에 튀겨내는 것이 부담스럽다면 팬에 넉넉하게 기름을 두르고 사방을 굴려가면서 굽는다.

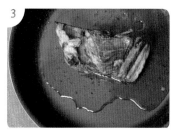

4. 냄비에 동파육 소스와 삼겹살을 넣고 소스를 끼얹어 가면서 소스가 컵에 1/2컵 정도 남을 때까지 조린다.

5. 삼겹살은 건져내고 1.5~2cm 두께로 썬다. 남은 국물에는 물 녹말을 넣고 농도를 맞춘다.

6. 삼겹살에 걸쭉한 동파육 소스를 끼얹어 담고, 청경채를 곁들인다.

중국의 소동파는 동파육을 먹고 나서 이런 시를 지었다. "황주의 맛 좋은 돼지고기 값은 진흙처럼 싸지만 부자는 거들떠 보지 않고 가난한 이는 어찌 요리할 줄 모르네. 적은 물에 돼지고기를 넣고 약한 불로 충분히 삶으니 그 맛 비길 데 없어 아침마다 배불리 먹네. 그 누가 어찌 이 맛 알리오."

직장인들의 인기 점심 메뉴 오삼불고기

| 삼겹살 |

- 분량 : 2인분
- 조리시간 : 30분
- 난이도 : 중급

"오징어는 혈액순환 작용을 원활하게 돕는 작용을 하고, 심장 질환을 예방하는 효과가 있습니다. 또한 타우린 성분이 간 기능을 활성시키고, 자궁출혈, 생리불순, 근골을 튼튼하게 해 주어 여성에게도 좋은 스태미나 식품입니다."

재료	양념
▫ 오징어 1마리	▫ 고추장 1큰술
▫ 삼겹살 200g	▫ 고춧가루 3큰술
▫ 양파 1/2개	▫ 간장 1큰술
▫ 당근 4cm, 1/4개	▫ 다진 마늘 1큰술
▫ 풋고추 1개	▫ 다진 생강 1작은술
▫ 홍고추 1개	▫ 설탕 2큰술
▫ 양배추 2장	▫ 후춧가루 약간
	▫ 참기름 1큰술

Directions

1. 삼겹살은 4cm 정도 크기로 먹기 좋게 자르고, 오징어는 사선으로 칼집을 내어서 4×1cm정도로 자른다.

2. 양파, 당근, 양배추는 1cm 정도로 굵게 채를 썰고, 고추는 어숫하게 썬다.

3. 분량의 양념장을 만들어 놓는다.

4. 달군 마른 팬에 삼겹살은 먼저 구워 익히고 노릇해지면 오징어가 하얗게 될 때까지 센불로 익힌다.

   ×Tip× 팬에 기름을 두르지 않아도 삼겹살에서 나온 기름으로 재료가 타지 않는다. 느끼한 걸 좋아하지 않는다면 고기 손질시 비계 부위는 걷어내고 식물성 기름을 사용해 볶아도 된다.

5. 양파, 양배추, 당근을 투명하게 볶고 양념장을 넣는다. 마지막에 풋고추, 홍고추를 넣는다.

비오는날 따뜻하고 고소한 콩비지찌개

| 삼겹살 |

🍲 분량 : 2인분
⏰ 조리시간 : 30분
🍴 난이도 : 초급

"콩을 물에 불려서 갈고 짜낸 콩물을 끓인 후 간수를 넣어 만든 것이 두부이고, 두부를 만들고 남은 찌꺼기를 콩비지라고 하는데요. 두부를 만들어 파는 재래시장에 가면 저렴한 가격에 푸짐한 양의 콩비지를 구입할 수 있어요. 남은 콩비지는 지져서 전을 부쳐 먹어도 좋아요."

| 재료 |

- □ 삼겹살 100g
- □ 콩비지 1컵
- □ 물 300ml
- □ 김치 60g
- □ 다진 마늘 1작은술
- □ 대파 1/2대
- □ 청양고추 1개
- □ 홍고추 1개

- □ 새우젓 1작은술
- □ 소금 1/3작은술
- □ 참기름 1큰술

| 삼겹살 밑간 |

- □ 소금 1꼬집
- □ 후춧가루 조금
- □ 청주 1큰술

 Directions

1. 삼겹살은 2×2cm 정도 주사위 모양으로 자르고 밑간을 한다.

2. 김치는 삼겹살과 같은 모양으로 자르고, 대파, 청양고추, 홍고추는 송송 썬다.

3. 냄비에 참기름을 두르고 삼겹살을 볶고 겉면이 하얗게 변하면 김치를 넣고 3분 정도 볶는다.
   ※ Tip ※ 빨간 콩비지를 끓이고 싶으면 김치와 고춧가루를 함께 볶으면 된다.

4. 콩비지 1컵과 물 300ml를 넣고 약한불에서 젓지 않고 끓인다.
   ※ Tip ※ 자꾸 저으면 물이 생기고 콩이 삭아서 맛이 없다.

5. 자박해지면 새우젓과 소금으로 간을 하고 대파, 청양고추, 홍고추를 넣는다.

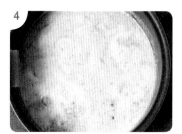

✎ NOTE

콩비지찌개는 간을 하지 않고 심심하게 끓인 후 먹을 때 양념간장으로 입맛에 맞게 간을 맞춰도 맛있다.

곁들여 먹는 양념 간장
간장 1큰술, 다진 마늘 1작은술, 참기름 1큰술, 깨소금 약간, 다진 대파 1큰술, 고춧가루 1작은술

야무지게 뜯어 먹는 등갈비 김치찌개

| 등갈비 |

- 분량 : 2인분
- 조리시간 : 2시간
- 난이도 : 초급

"참치김치찌개, 돼지고기김치찌개, 두부김치찌개 등 우리나라 김치찌개는 무한변신 가능한 것 같아요. 김치찌개는 맛있는 신김치 하나면 어떤 형태로 먹어도 맛있고, 질리지 않는 장점이 있죠. 등갈비를 넣어 김치찌개 먹으면 고기 발라먹는 맛에 손가락 쭉쭉 빨고 다른 반찬 하나도 없어도 돼요."

재료		
□ 등갈비 600g(1근)	□ 참기름 2큰술	□ 된장 1큰술
□ 김치 1/2포기	□ 물 3컵	□ 통후추 10알
□ 풋고추 1개		□ 물 2L
□ 두부 1/4모		고기 삶는 재료	
□ 대파 1대	□ 대파 잎 2장	
□ 고춧가루 2큰술	□ 건고추 1개	
□ 소금 1작은술	□ 양파 1/2개	
	□ 무 2cm 1토막	

Directions

1. 갈비는 찬물에 1시간 정도 담가 핏물을 뺀다.
   ※Tip※ 뼈 사이에 칼집을 내주면 핏물이 더 잘 빠져서 냄새나지 않는 등갈비를 만들 수 있다.

2. 냄비에 갈비가 충분히 잠기는 물(2L)과 고기, 고기 삶는 재료를 넣고 30분 정도 중불에서 삶는다.
   ※Tip※ 삶는 재료를 먼저 넣고 물이 끓으면 등갈비를 넣는다.

3. 대파, 풋고추는 어슷하게 썰고, 김치는 속을 털어내고 한입 크기로 5~6cm 정도로 썬다. 두부는 3×3cm 정도로 나박하게 썬다.

4. 냄비에 참기름 2큰술을 두르고 김치와 고춧가루를 5분 정도 볶는다.

5. 여기에 삶은 등갈비와 물 3컵을 넣고 20분간 중불로 끓인다.

6. 소금으로 간을 맞추고, 두부, 대파, 풋고추를 넣어 마무리한다.

패밀리레스토랑 부럽지 않은 바비큐 폭립

| 등갈비 |

- 🍲 분량 : 2인분
- ⏰ 조리시간 : 2시간
- 🎐 난이도 : 중급

"가족들과 함께 패밀리레스토랑에서 외식하면 가격이 만만치 않아 부담스러운 경우가 종종 있어요. 우린 이런 거 안 좋아한다며 양보해주시는 부모님, 서로 눈치작전 부리는 아이들까지. 쉽고 간단한 방법으로 만들어서 푸짐하게 집에서 맘껏 뜯어 보아요."

Ingredients

| 재료 |
□ 등갈비 1kg

| 고기 삶는 재료 |
□ 무 1/10개
□ 대파 잎 2장
□ 통후추 10알
□ 월계수잎 3장

□ 로즈마리 1줄기
□ 물 3L

| 고추장 소스 |
□ 토마토케첩 2큰술
□ 고추장 1큰술
□ 물엿 1큰술
□ 다진 마늘 1작은술

| 바비큐소스 |
□ 바비큐소스 3큰술
□ 물엿 1큰술
□ 간장 1큰술
□ 토마토케첩 1큰술
□ 다진 마늘 1작은술

Directions

1. 등갈비는 물에 1시간 정도 담가 핏물을 뺀다.
   ※Tip※ 중간에 물을 한두 번 갈아 주면 더 좋다.

2. 갈비가 잠기는 충분한 물(3L)에 야채를 먼저 넣어 끓인다. 물이 끓으면 갈비를 넣어서 40분 정도 중불에서 삶는다.
   ※Tip※ 고기 삶는 재료는 무, 대파, 통후추 뿐만이 아니라 커피, 셀러리, 녹차 등을 넣어도 좋다.

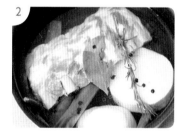

3. 익힌 갈비는 200℃ 오븐에 5분 정도 노릇하게 굽는다.

4. 소스 재료를 섞어 바비큐, 고추장 소스를 만든다. 갈비를 반으로 나누고 각각의 소스를 고루 바른 후 예열한 오븐에서 5분간 굽는다.

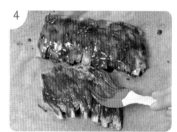

5. 한 번 더 소스를 바르고 5분간 굽는다.
   ※Tip※ 여러 번 발라 구우면 더 진하고 맛있다. 단 지나치게 많이 발라 구우면 짤 수 있으니 주의한다.

NOTE

소스를 찍어 먹고 싶다면 소스를 약한 불에서 뭉근히 끓여서 걸쭉하게 만들어도 된다.

입안이 얼얼한 매운 쪽갈비찜

| 등갈비 |

🍲 분량 : 2인분
⏰ 조리시간 : 2시간
🎋 난이도 : 중급

"스트레스 받는 날 매운 음식을 먹거나 뭔가를 뜯어먹으면 스트레스 해소가 되잖아요. 매운 쪽갈비찜 하나면 이 모든 것을 해결할 수 있어요. 매울 땐 뜨거운 밥 한 수저 호~ 불어가면서 먹으면 딱이지요."

Ingredients

재료	참기름 1큰술	다진 마늘 3큰술	된장 1큰술
등갈비 600g(1근)	소금 1/2꼬집	다진 생강 1큰술	통후추 10알
양파 1개		청주 2큰술	월계수잎 1개
당근 1/4개	양념장		물 2L
감자 2개	고춧가루 5큰술	고기 삶는 재료	
가래떡 1줄	청양고추가루 1큰술	대파잎 2장	
대파 1대	고추장 2큰술	건고추 1개	
청양고추 2개	간장 1/2컵	양파 1/2개	
물 2컵	설탕 4큰술	무 2cm 1토막	

Directions

1. 갈비는 찬물에 1~2시간 정도 담가 핏물을 뺀다.

2. 물(2L)에 고기 삶을 때 넣는 야채를 자르지 않고 통으로 넣어 끓인다. 물이 끓으면 갈비를 넣어서 40분 정도 중간불에서 삶는다. 고기가 익은 후에 한쪽씩 자른다.

   ※Tip※ 미리 고기를 잘라서 구입하거나 익히면 편리하지만, 육즙이 많이 빠져나가 고기 살이 삶는 과정 중에 손실될 수 있으므로 모두 익은 후 자르는 것이 더 맛있게 먹을 수 있다.

3. 양파는 큼직하게 4등분하고, 감자와 당근은 지름 3cm 정도로 깍둑 썰어 모서리를 깎는다. 가래떡도 감자와 비슷한 크기로 자르고, 대파와 청양고추는 어슷하게 썬다.

   ※Tip※ 감자와 당근의 모서리를 깎으면 익히는 과정에서 부서지는 것을 방지할 수 있다.

4. 삶은 갈비, 양념장과 물 2컵을 자작하게 넣고 뭉근하게 익힌다.

5. 냄비에 큼직하게 썬 당근, 감자를 넣고 익히고, 단단한 야채들이 반 정도 익으면 큼직하게 썬 양파와 가래떡을 넣는다.

6. 모든 야채가 다 익으면 청양고추, 대파, 참기름, 소금 약간을 넣어 간을 맞추고 마무리한다.

어른들 초대하는 손님상에는 돼지갈비찜

| 갈비 |

🍲 분량 : 2~3인분
⏰ 조리시간 : 2시간
🎋 난이도 : 중급

"어른들을 모시는 자리에 고기가 빠질 수 없죠. 잡채, 얼큰한 탕과 빠지면 안되는 갈비찜이에요. 대추, 은행, 잣, 밤 등을 넣어 고급스럽게 만들면 임금님이 드셨던 궁중갈비찜이 된답니다. 흔한 양념과 재료로 품격 있는 밥상을 만들어 보세요."

Ingredients

| 재료 |

- 갈비 600g
- 양파 1/4개
- 당근 1/6개
- 감자 1개
- 대추 2개
- 대파 1/2대
- 풋고추 1개

- 홍고추 1개
- 은행 5알
- 건표고버섯 3개
- 물 2컵
- 소금 1꼬집

| 양념장 |

- 간장 6큰술

- 설탕 3큰술
- 다진 마늘 2큰술
- 다진 생강 1큰술
- 후춧가루 약간
- 참기름 1큰술
- 배즙 2큰술

Directions

1. 돼지갈비는 찬물에 1시간 정도 담가 핏물을 뺀다.

2. 핏물을 뺀 돼지갈비는 갈비가 충분히 잠기는 물에 30분 정도 중불에서 삶는다.

   ∘Tip∘ 집에 남는 자투리 식재료 활용하여 고기의 잡냄새를 없앤다. (무, 양파, 대파, 마늘, 건고추, 통후추, 술, 된장, 녹차 등)

3. 감자, 당근, 양파는 큼직하게 썰고, 고추는 어슷하게 썬다. 표고버섯은 물에 불린뒤 한입 크기로 썬다.

   ∘Tip∘ 감자는 전분을 없애고, 갈변 방지를 위해서 물에 담근다.

4. 냄비에 갈비, 양념장, 물 2컵을 넣고 뭉근하게 익힌다.

5. 끓으면 당근, 감자를 넣어 익히고, 단단한 야채들이 반 정도 익으면 큼직하게 썬 양파, 표고버섯, 은행, 대추를 넣는다.

6. 모든 야채가 다 익으면 고추, 대파, 소금을 넣고 간을 맞춘다.

소갈비보다 더 맛있는 양념돼지갈비

| 갈비 |

🍲 분량 : 2~3인분

⏰ 조리시간 : 13시간

🎐 난이도 : 초급

"아무리 맛있는 고기와 잘 된 양념일지라도 질긴 고기라면 먹기 힘들고, 맛이 반감 될 거예요. 고기에 잔 칼집과 힘줄을 끊어주고 과일을 갈아 넣어서 연육을 하면 야들야들 부드럽고 살살 녹는 돼지고기 요리가 된답니다."

| 재료 |
□ 갈비 1kg
□ 기름 적당량

| 양념장 |
□ 간장 6큰술
□ 물엿 1큰술
□ 황설탕 2큰술

□ 다진 대파 1/2대
□ 후춧가루 약간
□ 청주 1큰술
□ 다진 마늘 2큰술
□ 양파즙 2큰술 (1/6개 분량)
□ 배즙 2큰술 (1/8개 분량)
□ 참기름 2큰술

 Directions

1. 돼지갈비는 0.7~1cm 정도 두께로 포를 뜨고, 잔칼집을 앞뒤로 넣는다. 힘줄은 칼 끝으로 콕콕 찔러서 부드럽게 한다.

2. 양파와 배는 믹서에 간다.
   ※Tip※ 파인애플이나 사과를 갈아도 고기 연육에 좋다.

3. 양념장을 만들어서 고기에 붓고 12시간 재워놓는다.

4. 그릴이나 팬에 기름을 두르고 노릇하게 앞뒤로 굽는다.

NOTE

배, 파인애플, 무 등에 있는 단백질을 분해하는 프로테아제(protease) 효소는 고기를 부드럽게 만들고, 소화작용을 도움을 주어서 돼지고기와 잘 맞는 식품이다.

Part

4

앞다리와
뒷다리

칼칼하고 부드러운 순두부찌개

| 앞다리살 |

🍲 분량 : 2인분
⏰ 조리시간 : 40분
🎋 난이도 : 초급

"식당에서 순두부찌개를 먹으면 감칠맛이 느껴지는데 집에서는 깊은 맛이 안 나더라고요. 비밀은 바로 새우젓, 고추기름, 들깨가루였어요. 새우젓이 감칠맛을 내주고, 칼칼한 고추기름, 고소한 들깨가 깊은 맛을 더했어요. 이제는 제가 만든 순두부찌개가 더 맛있어요."

Ingredients

재료	
□ 앞다리살(불고기감) 100g	□ 다진 마늘 1작은술
□ 순두부 1/2봉지	□ 고춧가루 1큰술
□ 양파 1/4개(50g)	□ 고추기름 2큰술
□ 애호박 1/6개(60~70g)	□ 소금 1작은술
□ 청양고추 1개	□ 새우젓 1작은술
□ 대파 1/4개	□ 거피 들깨가루 1큰술
□ 달걀 1개	

밑간
□ 소금 1꼬집
□ 후춧가루 조금
□ 청주 1작은술
□ 생강즙 1작은술

Directions

1. 돼지고기는 2×2cm 정도로 썰고 밑간을 20분 정도 한다.

2. 순두부는 소금을 뿌려둔다.

   ※Tip※ 소금을 뿌리면 맛이 겉돌지 않고, 수분이 빠져서 싱거워지는 걸 막아준다.

3. 양파, 호박은 2×2cm 정도로 썰고, 청양고추와 대파는 송송 썬다.

4. 냄비에 고추기름을 두르고 고춧가루와 마늘을 30초 정도 넣고 볶다가 고기를 넣고 볶는다.

5. 4에 물 1컵, 양파, 호박을 넣고 끓인다. 끓으면 순두부를 넣고 새우젓과 소금으로 간을 맞춘다.

   ※Tip※ 순두부를 넣고 휘저으면 부서질 수 있으므로 많이 젓지 않는다.

6. 청양고추, 대파, 들깨가루를 넣고 한소끔 끓이고 달걀을 넣는다.

NOTE

고추기름 집에서 만들기

❶ 식용유 4컵에 대파 1/2대, 마늘 4쪽을 넣고 끓인다.

❷ 물기 없는 통(스테인리스볼이나 내성용기)에 고춧가루 1컵을 넣어 놓는다.

❸ 식용유가 160℃ 정도 되면 고춧가루 담아놓은 통에 붓는다.

❹ 식으면 면보나 체로 걸러서 밀폐용기에 담아놓고 사용한다.

신세계의 맛, 꼬들쫄깃한 앞다리살 말린묵 볶음

| 앞다리살 |

- 분량 : 2~3인분
- 조리시간 : 90분
- 난이도 : 초급

"도토리는 열량이 적어 성인병을 예방하고 다이어트에 효과적입니다. 도토리의 탄닌 성분이 있어서 빈혈이나 심한 변비에는 좋지 않아요. 하지만 말린 묵은 비타민D가 생성되어 골다공증, 구루병예방에도 좋다고 합니다. 말캉한 묵이 아닌 말린 묵은 꼬들꼬들해 젤리와 같은 색다른 식감을 선사해 줘요."

Ingredients

재료	양념
□ 말린 도토리묵 100g	□ 간장 2큰술
□ 앞다리살(불고기감) 200g	□ 설탕 1큰술
□ 청피망 1/4개	□ 참기름 1큰술
□ 홍피망 1/4개	□ 깨소금 1작은술
□ 양파 1/4개	□ 올리고당 1큰술
□ 표고버섯 2개	
□ 팽이버섯 1/2봉지	
□ 기름 2큰술	

Directions

1. 묵은 찬물에 1시간 정도 불리고 끓는 물에 살짝 데쳐 내고 찬 물에 헹군다.

   ※Tip※ 떫은맛을 제거하려면 물에 데치거나 담그는 것이 좋다.

2. 청피망, 홍피망, 양파, 표고버섯은 5mm 정도로 굵게 채를 썬 다. 팽이버섯은 밑둥은 자르고 반으로 가른다. 양념 재료를 넣 고 양념을 만들어 둔다.

3. 팬에 기름을 두르고 돼지고기를 볶다가 겉이 하얗게 익으면 도 토리묵을 넣고 2분 정도 더 볶는다.

4. 양파, 표고버섯을 넣고 소스를 넣고 맛이 배면 청피망, 홍피 망, 팽이버섯을 넣는다.

NOTE

도토리묵을 잘라 햇빛에 하루 이틀 말리면 만들 수 있고, 요즘은 대형마트에서 도 쉽게 구입할 수 있다.

손님초대 시 환영 받는 돼지고기 찹쌀구이

| 앞다리살 |

- 분량 : 3~4인분
- 조리시간 : 1시간
- 난이도 : 중급

"집에 손님을 초대했는데 고기 요리가 빠질 수가 없죠. 매번 똑같은 불고기, 탕수육, 갈비찜에 질렸다면 찹쌀구이에 도전해 보세요. 먹었을 때 떡처럼 쫄깃한 식감에 야채와 곁들여 깔끔한 입맛까지 식욕을 돋게 해줘요."

Ingredients

재료		야채소스		고기 밑간	
□ 앞다리살(불고기감) 600g		□ 간장 1큰술		□ 간장 1큰술	
□ 대파 1대		□ 설탕 1큰술		□ 후춧가루 1/3작은술	
□ 깻잎 20장		□ 식초 1큰술		□ 다진 마늘 1작은술	
□ 기름 조금		□ 연겨자 1작은술		□ 생강즙 1큰술	
□ 찹쌀가루 1컵		□ 홍고추 1/2개		□ 청주 1큰술	

Directions

1. 고기는 밑간 재료를 넣고 30분 정도 밑간을 한다.

2. 대파와 깻잎은 가늘게 채를 썰어서 찬물에 담근다.
   ≡Tip≡ 대파와 깻잎 대신 양파, 부추를 곁들여도 좋다.

3. 밑간한 고기에 찹쌀가루를 골고루 묻혀서 팬에 기름을 두르고 노릇하게 중불로 굽는다.

4. 홍고추는 잘게 다지고 야채 소스 재료를 고루 섞은 드레싱을 만든다.

5. 익힌 고기를 접시에 돌려 담고, 야채와 드레싱을 곁들인다.

✐NOTE

찹쌀가루는 시판 건조된 찹쌀가루를 사는 것보다 방앗간에서 직접 빻은 생찹쌀가루가 맛이 좋다. 방앗간에서 찹쌀가루를 구입하거나 쌀을 불려서 물을 뺀 후 방앗간에 가져가면 빻아준다.

곰보할머니의 마파두부

| 앞다리살 |

- 🍲 분량 : 2인분
- ⏰ 조리시간 : 20분
- 🎋 난이도 : 중급

"마파두부는 얼굴에 얽은 천연두 자국이 남은 중국의 할머니가 고안해서 만들어졌다고 붙여진 이름입니다. 마파에서 마는 얽었다는 뜻이고, 파는 아주머니나 할머니라는 뜻이라고 하네요. 마파두부는 원래 사천요리로 매운맛이 강하지만, 자극적이지 않은 맛으로 바꾸었습니다."

Ingredients

재료	소스	녹말물
□ 두부 1모	□ 두반장 1큰술	□ 녹말가루 2큰술
□ 다진 앞다리살 100g	□ 굴소스 1작은술	□ 물 2큰술
□ 대파 5cm 1대	□ 설탕 1작은술	
□ 마늘 3쪽	□ 간장 1작은술	밑간
□ 생강 약간	□ 청주 1큰술	□ 소금 1꼬집
□ 홍고추 1/2개		□ 후춧가루 조금
□ 고추기름 2큰술		□ 청주 1큰술
□ 물 1컵		

Directions

1. 돼지고기는 핏물을 빼서 밑간 재료를 넣고 밑간을 한다.

2. 대파, 마늘, 생강, 홍고추는 굵게 0.5cm 정도로 다진다.

3. 두부는 1cm 정육면체 모양으로 썰어서 소금물에 데친다.
   ※Tip※ 데치는 물에 소금을 1작은술 정도 넣으면 두부를 단단하게 만든다.

4. 팬에 고추기름을 두르고 야채를 30초간 볶다가 돼지고기를 넣고 고기가 하얗게 익을 때까지 볶는다.

5. 4에 소스 재료와 물 1컵을 넣고 가열하다 끓으면 녹말물을 풀어 졸인 다음 두부를 넣는다.
   ※Tip※ 두부를 가장 마지막에 넣어야 으깨지지 않는다.

NOTE

두반장이란 콩에 후추와 소금을 넣어 발효시킨 소스로 사천요리 등 매운맛 나는 요리에 많이 사용된다.

고향의 맛, 구수한 된장찌개

| 앞다리살 |

🍲 분량 : 2인분

⏰ 조리시간 : 20분

🎋 난이도 : 초급

"된장찌개는 다른 설명이 필요 없는 국민찌개죠. 어느 레시피를 따라 해도 따라갈 수 없는 맛이 엄마가 끓여준 된장찌개가 아닌가 싶습니다. 따뜻한 밥과 김치, 엄마 손맛 된장찌개면 일주일 내내 질리지 않고 먹을 수 있죠."

Ingredients

| 재료 |
□ 앞다리살 100g
□ 양파 1/4개
□ 호박 1/6개
□ 청양고추 1개
□ 두부 1/6모
□ 된장 2큰술
□ 멸치가루 1작은술
□ 고춧가루 1작은술

□ 참기름 1큰술
□ 물 2컵

| 밑간 |
□ 소금 1꼬집
□ 후춧가루 조금
□ 청주 1작은술
□ 생강즙 1작은술

Directions

1. 감자, 양파, 호박, 두부는 사방 1cm 정도로 깍둑 썰고, 청양 고추는 송송 썬다.

2. 돼지고기는 잘게 다진 후 밑간 재료를 넣고 밑간을 한다.

3. 냄비에 참기름을 1큰술 두르고 된장과 돼지고기를 약한 불로 볶는다.

   ※Tip※ 된장을 볶아 사용하면 짠맛을 줄일 수 있고, 좀 더 고소하다.

4. 냄비나 뚝배기에 물 2컵과 멸치가루를 넣고 끓이고, 끓으면 감자, 양파를 넣는다.

5. 감자가 반쯤 익으면 호박을 넣고 되직해지면 두부, 청양고추를 넣는다.

✐NOTE

멸치가루 만들기

표고버섯, 마른 새우도 같은 방법으로 만들 수 있다.

❶ 멸치는 내장과 대가리를 제거하고 마른 팬에 살짝 볶는다.

❷ 믹서로 갈거나 칼로 다진다.

우리 아이 밥한공기 뚝딱 해치우는 미트볼

| 앞다리살 |

- 🍲 분량 : 2인분
- ⏰ 조리시간 : 40분
- 🍴 난이도 : 중급

"한입 크기로 동그랗게 빚어서 달콤한 소스에 조리면 간식처럼 한 개씩 집어 먹는 재미도 좋고 금세 밥 한 그릇 뚝딱~! 파스타를 삶아서 곁들이면 미트볼파스타로, 조금 더 크게 만들어 미니 햄버거로, 아이들이 좋아하는 메뉴입니다."

| 재료 |
- 다진 앞다리살 300g
- 양파 1/4개
- 당근 1/8개

- 청주 1큰술
- 소금 1꼬집
- 후춧가루 조금
- 빵가루 2큰술
- 달걀 1개

- 토마토케첩 2큰술
- 물엿 1큰술
- 다진 마늘 1작은술
- 참기름 1큰술

| 양념 |
- 다진 마늘 1큰술
- 다진 생강 1/2작은술

| 소스 |
- 간장 2큰술

Directions

1. 양파, 당근은 곱게 다져서 마른 팬에 볶아 식힌다.
   ×Tip× 야채는 수분을 빼야 미트볼이 질어지지 않고 오래간다.

2. 다진 돼지고기에 볶은 양파, 당근과 양념을 넣고 조물조물 섞고 치댄다.

3. 지름 4~5cm 정도로 미트볼을 만든다.

4. 팬에 기름을 넉넉하게 두르고 굴려가면서 약한 불로 익힌다.
   ×Tip× 크기가 클수록 익는 시간이 오래 걸리므로 뚜껑을 닫고 익히거나, 160℃의 오븐에서 10분 정도 익혀야 된다.

5. 팬에 소스 재료를 끓이다, 걸쭉해지면 완자를 넣어 조린다.
   ×Tip× 소스를 만들기가 번거롭다면 토마토파스타소스를 넣어도 좋다.

고기만큼 야채도 듬뿍 난자 완스

| 앞다리살 |

- 분량 : 2인분
- 조리시간 : 40분
- 난이도 : 중급

"고급 중국요리를 간단한 방법으로 집에서 즐기면 기름도 적게 써서 칼로리도 낮추고, 신선한 야채를 써서 건강에도 좋고, 정성이 들어가서 가족들도 좋아해요. 폼 나는 명품 중국요리로 식탁을 변신시켜 보세요."

재료	□ 죽순 1/4개	□ 소금 1꼬집
□ 다진 앞다리살 200g	□ 청경채 1개	□ 후춧가루 조금
□ 대파 5cm 1대	□ 기름 적당량	□ 달걀 1/2개
□ 마늘 2쪽		□ 녹말가루 3큰술
□ 생강 1톨	완자 양념	
□ 건표고버섯 1개	□ 간장 1작은술	소스
□ 당근 1/8개	□ 청주 1큰술	□ 청주 1큰술
□ 피망 1/2개	□ 다진 마늘 1작은술	□ 간장 1큰술
□ 양송이버섯 2개	□ 다진 생강 약간	□ 굴소스 1큰술

Directions

1. 대파, 마늘, 표고버섯, 당근, 피망, 죽순, 청경채, 양송이버섯은 4cm 정도로 먹기 좋게 자르고 생강은 채를 썬다. 죽순은 끓는 물에 데친다.

2. 다진 돼지고기에 완자 양념 재료를 넣고 치대어 완자모양으로 빚는다.

   ※Tip※ 고기의 핏물을 잘 제거하고, 달걀이 많이 들어가지 않도록 한다. 반죽이 질어지면 모양이 잘 안 만들어지고, 녹말가루를 많이 넣게 되면 딱딱한 완자가 된다.

3. 기름을 넉넉히 넣고 완자를 앞뒤로 익힌다.

4. 팬에 기름을 두르고 대파, 마늘, 생강을 볶다가 표고버섯, 당근, 죽순을 볶은 후 소스를 넣고 끓인다.

5. 소스가 끓으면 완자와 고추, 양송이버섯을 넣고 녹말물을 넣어 걸쭉하게 하고 청경채를 넣는다.

🖉NOTE

죽순은 석회질이 있어서 젓가락으로 하얀 석회질을 제거하고 끓는 물에 데쳐 사용하는 것이 좋다. 여름에는 죽순이 많이 나오지만 그 외 계절에 생 죽순을 구입하기 힘들 경우에는 가공한 캔을 사용하면 된다.

몸이 건강해지는 요리 버섯완자 들깨탕

| 앞다리살 |

🍲 분량 : 2~3인분
⏰ 조리시간 : 1시간
🎚 난이도 : 고급

"선선한 가을에는 각종 버섯들이 많이 나오는데요. 제철에 나오는 음식을 먹어야 그 기를 받을 수 있어서 건강해집니다. 버섯은 버섯 자체만으로도 맛이 좋아서 육수 없이 소금과 국간장만으로도 훌륭한 맛이 나와요. 들깨 가루와 완자까지 곁들이면 속이 아주 든든해집니다."

재료	다시마야채육수 3컵
▫ 팽이버섯 1봉	▫ 국간장 1작은술
▫ 새송이버섯 1개	▫ 들깨가루 2큰술
▫ 불린 건표고버섯 3개	▫ 녹말가루 1큰술
▫ 양송이버섯 3개	
▫ 양파 1/4개	돼지고기 양념
▫ 두부 1/4모	▫ 마늘 1작은술
▫ 다진 앞다리살 100g	▫ 소금 1/3작은술
▫ 소금 1작은술	▫ 후춧가루 조금

Directions

1. 팽이버섯은 5cm 정도로 자르고, 새송이, 표고버섯, 양파는 0.3cm 두께로 굵게 채를 썬다. 양송이는 편을 썬다.

2. 두부는 베보자기 등으로 감싼 후 꼭 쥐어짜 수분을 제거하고 곱게 으깬다.

3. 돼지고기는 핏물을 제거하고 두부와 돼지고기 양념 재료을 넣어 섞고 치댄다.
   × Tip × 완자를 양손으로 왔다 갔다 던지거나 그릇에 쳐 주면 찰지고 쫄깃하게 된다.

4. 양념한 돼지고기를 지름 3~4cm 정도의 완자로 빚고, 녹말가루를 겉면에 입힌 후 기름 두른 팬에서 굴리며 겉면을 살짝 익힌다.
   × Tip × 완자를 그냥 냄비에 넣으면 부서질 수 있으므로 팬에 한번 굴려서 단단하게 한다.

5. 냄비에 다시마야채육수 3컵을 넣고 버섯과 양파를 돌려 담고 완자를 버섯 사이에 놓고 끓인다.

6. 끓으면 소금과 국간장으로 간을 맞추고, 완자가 익으면 들깨가루를 넣는다.
   × Tip × 들깨가루는 마지막에 넣어야 향이 살아 있다.

어머니의 손맛 만두

| 앞다리살 |

- 분량 : 15~20개 분량
- 조리시간 : 1시간
- 난이도 : 중급

"재료를 다지고 수분 제거하고 빚기까지 과정이 여간 복잡한 게 아니어서 자주 하진 않지만, 명절에 가득 만들어 두면 별미로 먹고 싶을 때 꺼내 먹을 수 있어 그렇게 뿌듯할 수가 없어요. 쪄서 먹고, 납작하게 만들어 구워먹고, 만둣국 끓여서 먹고. 먹고 또 먹고."

재료	양념	간장
□ 다진 앞다리살 100g	□ 다진 대파 1큰술	□ 간장 1큰술
□ (양)배추 1/8통(100g)	□ 다진 마늘 1/2큰술	□ 다시마야채육수 1큰술
□ 양파 1/4개	□ 다진 생강 1/2작은술	□ 식초 1큰술
□ 단무지 50g	□ 소금 1/2작은술	□ 설탕 1작은술
□ 불린 건표고버섯 2개	□ 후춧가루 1/2작은술	□ 레몬즙 1작은술
□ 당면 10g	□ 참기름 1작은술	□ 깨 1작은술
□ 부추 10줄		□ 양파 1/4개
□ 두부 1/8모		

Directions

1. 양배추, 양파는 잘게 다져서 10분 정도 소금에 절였다가 씻은 후 꼭 짜 수분을 제거한다.

   ※Tip※ 소금에 절여서 사용하면 야채에 있는 수분을 제거할 수 있어 만두소가 질어지지 않는다. 만두 소 재료로 배추나 양배추 모두 사용 가능하다. 배추 가격이 비싼 계절에는 배추 대신에 양배추를 사용해도 좋다.

2. 단무지, 표고버섯은 다져서 수분을 제거하고, 부추는 송송 썬다.

   ※Tip※ 재료의 모든 수분을 제거해야 만두피가 터지거나 냉동시켰을 때 갈라지지 않는다.

3. 당면은 미지근한 물에 20분 정도 불린 후 끓는 물에 5분 정도 삶아서 잘게 다진다.

4. 돼지고기와 다진 야채, 당면을 모두 섞어 양념한다.

5. 만두피에 소를 채워 예쁘게 빚는다.

6. 찜통에 찌거나 팬에 굽는다.

   ※Tip※ 간장양념을 만들어 찍어 먹으면 좋다.

통통한 만두, 든든한 떡만둣국

| 앞다리살 |

- 분량 : 2인분
- 조리시간 : 20분
- 난이도 : 초급

"만두를 좀 더 든든한 만둣국으로 먹고 싶을 때는 사골육수를 넣어 먹고, 배부르게 먹고 싶을 때는 떡을 넉넉하게 넣고 밥까지 말아먹어요. 간단하게 끼니를 때우고 싶을 때는 멸치육수로 후다닥 끓여서 냉동시켜 둔 손만두와 집에 남는 야채를 넣어 끓이면 이보다 좋을 순 없어요."

재료	멸치육수
□ 만두 8개	□ 멸치 20g
□ 양파 1/2개	□ 건새우 5g
□ 대파 1/2개	□ 대파 4cm 1대
□ 당근 4cm 1토막	□ 마늘 3쪽
□ 청양고추 1개	□ 물5컵(1L)
□ 떡국 떡 10여개	
□ 국간장 1큰술	
□ 소금 1작은술	
□ 달걀 1개	

Directions

1. 냄비에 육수 재료를 넣어 멸치육수를 끓인다.

2. 양파와 당근은 굵게 채를 썰고 대파, 청양고추는 어슷하게 썬다.

3. 육수에 양파, 당근을 넣고 끓이다가 양파가 투명해지면 만두와 떡국 떡을 넣는다.
   ※Tip※ 냉동 만두일 경우 야채와 함께 넣는다.

4. 만두가 익으면 국간장과 소금으로 간을 하고 청양고추, 대파를 넣는다.
   ※Tip※ 취향에 따라 달걀을 풀어 넣는다.

2

3

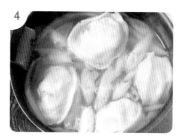

4

미인이 되는 포크 레몬 샐러드

| 앞다리살 |

- 분량 : 2인분
- 조리시간 : 20분
- 난이도 : 초급

"돼지고기는 느끼하다는 편견 접어두세요. 샐러드는 가벼워 먹고 나면 금방 배고파진다는 생각도 접어주세요. 레몬, 마늘로 맛을 낸 새콤, 달콤한 드레싱을 얹어주면 상큼한 봄을 느낄 수 있어요. 거기다 돼지고기와 함께라 샐러드만으로도 든든해요."

Ingredients

재료	드레싱
□ 앞다리살(불고기감) 100g	□ 다진 마늘 1큰술
□ 양상추 1/8통	□ 레몬즙 2큰술
□ 어린잎 채소 1줌	□ 식초 3큰술
□ 양파 1/4개	□ 설탕 3큰술
□ 사과 1/4개	□ 소금 1꼬집

Directions

1. 돼지고기는 한입 크기로 썰어서 핏물을 잘 빼고, 끓는 물에 익혀서 얼음물에 10분 정도 담근다.
   ※Tip※ 익힐 때 물에 파, 마늘 등 향신채소나 레몬을 넣으면 고기의 잡냄새를 제거할 수 있다.

2. 양상추는 먹기 좋은 크기로 찢고, 야채는 링으로 썰고, 사과는 편으로 썬다.

3. 드레싱을 만들어 둔다.
   ※Tip※ 생레몬을 직접 짜서 사용하는 것이 맛이 좋으나, 구하기 힘들 때는 레몬주스를 구입한다.

4. 야채를 깔고, 고기를 얹어 드레싱을 끼얹는다.

1

2

3

일본식 돼지고기 덮밥 부타 돈부리

| 앞다리살 |

- 분량 : 2인분
- 조리시간 : 30분
- 난이도 : 초급

"우리나라에서도 많은 사랑받는 일본요리 돈부리. 한 끼로 간단하게 먹을 수 있어서 젊은 사람들 사이에 인기가 많은 음식이 돈부리예요. 뜨끈한 쌀밥에 양념한 돼지고기를 얹으면, 다른 반찬 없이도 한 끼를 든든하게 해결할 수 있어요."

Ingredients

재료		양념
□ 앞다리살 300g		□ 간장 2큰술
□ 양파 1/2개		□ 설탕 1큰술
□ 쪽파 2줄		□ 미림 1큰술
□ 밥 2공기		□ 다진 마늘 1작은술
		□ 소금 1꼬집
		□ 후춧가루 조금

Directions

1. 돼지고기는 키친타월로 핏물을 빼고 4~5cm 정도로 썰어서 양념에 20분 정도 재워둔다.

2. 양파는 가늘게 채를 썰고, 쪽파는 송송 썬다.

3. 팬에 기름을 두르고 양파를 볶다가 갈색이 되면 고기를 넣어 볶는다.

4. 밥 위에 볶은 고기를 올리고 쪽파를 올린다.
   ∷Tip∷ 취향에 따라 시치미를 곁들인다.

1

2

3

봄이 오면 달래된장덮밥

| 앞다리살 |

- 🍲 분량 : 2인분
- ⏰ 조리시간 : 30분
- 〰 난이도 : 초급

"글로만 요리를 배우다보면 실패할 때가 많아요. 재료 손질하는 방법도 잘 모르고, 양념의 비율이 안 맞는 경우도 있고요. 이 메뉴는 글로만 보고 감이 왔어요. '아, 맛있겠다' 상상 그 이상의 맛이었어요. 부드러워서 어르신들도 좋아할만한 건강별미요리입니다."

Ingredients

| 재료 |
- 다진 앞다리살 100g
- 순두부 50g
- 당근 1/10개
- 양송이버섯 2개
- 감자 1/4개
- 양파 1/4개
- 달래 50g

- 기름 1큰술
- 참기름 1큰술
- 된장 2큰술
- 다시마야채육수 2컵

| 밑간 |
- 다진 마늘 1작은술
- 다진 생강 약간

- 청주 1작은술
- 후춧가루 약간

| 녹말물 |
- 녹말가루 2큰술
- 물 2큰술

Directions

1. 돼지고기는 핏물을 빼고 밑간을 한다.

2. 야채는 모두 굵게 5mm 정도로 다진다.

3. 팬에 기름을 두르고 돼지고기를 볶고 양파, 감자, 당근 순서로 재료를 볶는다.

4. 다시마야채육수와 된장을 넣어 끓이고 버섯을 넣어 익힌다.

5. 순두부, 달래를 넣어서 부드럽게 풀어주고 끓어오르면 녹말물을 넣어 농도를 맞추고 참기름으로 윤기를 나게 한다.

겉은 바삭, 속은 촉촉한 감자 크로켓

| 뒷다리살 |

🍲 분량 : 2인분
⏰ 조리시간 : 30분
🎚 난이도 : 중급

"빵가루가 겉의 식감을 바삭하게 하고, 감자와 마요네즈가 속을 부드럽고 촉촉하게 해요. 재료가 많이 들어가지 않아도 좋은 식재료와 정성만 있다면 훌륭한 간식을 만들어낼 수 있습니다. 양념이 많은 것보다 재료의 맛을 살려서 만드는 요리가 좋은 요리 아닐까요?"

Ingredients

재료	밑간	양념
□ 튀김 기름 적당량	□ 소금 1/3작은술	□ 마요네즈 2큰술
□ 감자 4개	□ 후춧가루 조금	□ 소금 1작은술
□ 양파 1/4개	□ 청주 1큰술	□ 후춧가루 조금
□ 다진 뒷다리살 100g		
□ 밀가루 1큰술		
□ 달걀 1개		
□ 빵가루 1/2컵		

Directions

1. 다진 돼지고기를 핏물을 빼고 소금, 후춧가루, 청주로 밑간을 한다.

2. 감자는 껍질을 벗기고 삶아 뜨거울 때 으깬다.
   ※Tip※ 뜨거울 때 감자를 으깨야 잘 부서진다.

3. 양파는 곱게 다진다.

4. 팬에 기름을 두르고 고기를 볶다가 겉이 익으면 양파를 넣어서 볶는다.
   ※Tip※ 돼지고기는 뭉쳐지지 않게 잘 풀고, 양파는 투명하게 볶는다.

5. 모든 재료를 다 섞어 마요네즈, 소금, 후춧가루를 혼합하여 모양을 잡는다.

6. 밀가루 → 계란물 → 빵가루순으로 옷을 입혀 기름을 넉넉히 두르고 170~180℃에서 1분간 노릇하게 튀긴다.
   ※Tip※ 크로켓의 감자, 고기, 양파 모두 익은 재료이므로, 겉의 튀김옷만 익으면 된다.

양식 스타일 함박스테이크

| 뒷다리살 |

- 분량 : 2인분
- 조리시간 : 40분
- 난이도 : 중급

"어릴 적 외식은 작은 경양식집에서 왼손에 포크, 오른손에 나이프를 들고 비후까스, 돈까스, 함박스테이크를 먹고, 수프는 수저를 바깥에서 안쪽으로 떠먹으며 소리 내지 않으려고 했었죠. 부모님은 꼭 김치도 달라고 하셔서 창피했었어요. 어릴 때 먹던 그 경양식집 추억의 맛이 되살아나요."

재료	후춧가루 약간	토마토케첩 4큰술
다진 뒷다리살 200g	다진 마늘 1작은술	머스터드 1큰술
양파 1/2개	빵가루 3큰술	설탕 1큰술
당근 5cm, 1/4개	우유 3큰술	물 1/4컵
올리브유 2큰술	달걀 1/2개	

패티 양념	브라운소스
소금 1/2작은술	바비큐소스 4큰술

 Directions

1. 양파(1/4개)는 곱게 다져서 마른 팬에 볶은 뒤 식힌다.

2. 핏물 뺀 다진 고기와 볶은 야채, 패티 양념 재료를 넣어 양념하고 찰지게 치댄다.
   ※Tip※ 많이 치대야 찰지고 부서지지 않는 함박스테이크를 만들 수 있다.

3. 팬에 올리브유를 두르고 노릇하게 센 불로 앞뒤를 20~30초 굽고 약한 불로 줄여서 속까지 잘 익힌다.

4. 양파(1/4개)와 당근은 굵게 채를 썬다.

5. 냄비에서 양파를 와인을 넣어가면서 볶는다. 양파가 갈색이 나며 익으면 당근을 넣어 볶는다. 분량의 소스를 넣고 끓이고 걸쭉해지면 소금, 후춧가루를 조금씩 넣어 간을 한다.

✐NOTE

함박스테이크를 많이 만들었다면 팬에 익혀서 냉동보관을 하고 먹을 때마다 한 개씩 약한 불에서 구우면 제맛이 살아난다. 햄버거빵 안에 패티로 넣어 수제햄버거로 만들어 보자.

아삭아삭하고 깔끔한 맛 풋고추전

| 뒷다리살 |

- 분량 : 2인분
- 조리시간 : 30분
- 난이도 : 중급

"명절에 각종 전을 하느라 냄새에 질려서 속이 니글니글한데, 계속 상에 있는 음식을 집어먹게 돼요. 이때 풋고추전을 먹으면 알싸한 매운맛 때문에 느끼함이 없어져요. 소를 풋고추 안에 하나하나 채워가며 어느 전보다 정성이 많이 들어가지만, 해놓고 나면 뿌듯해요."

Ingredients

재료		양념
□ 풋고추 5개		□ 소금 1/3작은술
□ 두부 1/4모		□ 설탕 1/3작은술
□ 다진 뒷다리살 200g		□ 다진 마늘 1작은술
□ 기름 3큰술		□ 다진 생강 1/3작은술
		□ 깨소금 조금
		□ 후춧가루 조금
		□ 참기름 1작은술

Directions

1. 풋고추는 반으로 잘라서 씨를 제거하고 끓는 소금물에 데친다.
   ※Tip※ 오래 데치면 고추의 색이 변하고, 아삭한 질감이 없어진다.

2. 두부는 수분을 제거하고 으깬다.

3. 으깬 두부와 다진 돼지고기에 양념을 넣고 치댄다.

4. 풋고추 안에 밀가루를 바르고 소를 채운다.
   ※Tip※ 밀가루를 바르면 수분이 생기면서 분리되는 것을 막아준다.

5. 고추에 고기 소를 채워 넣은 부분에만 밀가루, 달걀을 묻힌다.

6. 기름 두른 팬에 5의 고추를 올리고 중불로 노릇노릇하게 지진다.
   ※Tip※ 지질 때 고추는 데쳤기 때문에 뒤집어 익힐 필요가 없다.

NOTE

전을 만들 때는 수분 제거를 꼭 해야 한다. 두부의 수분, 고기의 핏물을 제거하지 않으면 너무 질어 모양 잡기도 힘들고 맛도 떨어진다. 그리고 간장 대신 소금으로 간을 해야 깔끔하고 수분이 많이 생기지 않는다.

버섯과 두부가 듬뿍 들어간 건강식 두부버섯 동그랑땡

| 뒷다리살 |

- 분량 : 2인분
- 조리시간 : 30분
- 난이도 : 중급

"집에 늘 있는 재료인 팽이는 왜 3봉씩 팔까요? 된장찌개에 넣어 먹고, 볶아 먹고, 그래도 한 봉지가 남았어요. 된장찌개에 넣고 남은 두부 반모와 함께 다지고 으깨어 합쳐서 고기전을 만들었어요. 담백하고 고소한 맛. 고기를 넣고 건강한 전이 탄생했어요."

Ingredients

재료	밑간	반죽
□ 다진 뒷다리살 100g	□ 소금 1/3작은술	□ 밀가루 1컵
□ 두부 1/2모	□ 후춧가루 조금	□ 달걀 1개
□ 팽이버섯 1봉	□ 청주 1큰술	□ 물 3/4컵
□ 대파 1/2대	□ 생강즙 1작은술	□ 소금 1작은술
□ 청양고추 1개		
□ 양파 1/4개		
□ 기름 3큰술		

Directions

1. 돼지고기는 핏물을 제거하고 소금, 후춧가루, 청주, 생강즙으로 밑간을 한다.

2. 두부는 수분을 제거하고 으깬다.

3. 팽이버섯, 양파, 대파, 청양고추는 굵게 다진다.
   ※ Tip ※   청양고추는 씨를 빼고 다지는 것이 자극적이지 않고 깔끔하다.

4. 모든 재료와 반죽을 섞는다.

5. 팬에 기름을 두르고 한 수저씩 떠서 앞뒤로 노릇하게 굽는다.
   ※ Tip ※   약간 도톰하게 부쳐야 뒤집기도 좋고, 전이 찢어지지 않으며, 먹음직스럽다.

고기가 쫄깃쫄깃 떡갈비

| 뒷다리살 |

- 🍲 분량 : 2인분
- ⏰ 조리시간 : 30분
- 🍴 난이도 : 중급

"붕어빵에 붕어가 없듯이 떡갈비에는 떡이 없어요. 그런데 왜 떡갈비냐고요? 인절미치듯이 쳐서 만들었다고 떡갈비라고 합니다. 또 다져서 반듯하게 만든 모양이 떡 모양과 닮아 떡갈비라고 했다는 설도 있고요."

재료	양념	□ 참기름 1큰술
□ 다진 뒷다리살 100g	□ 간장 1큰술	□ 소금 1/3작은술
□ 다진 쇠고기등심 100g	□ 설탕 1작은술	
□ 양파 1/4개	□ 청주 1큰술	
□ 찹쌀가루 3큰술	□ 꿀 1큰술	
□ 기름 3큰술	□ 다진 마늘 1작은술	
	□ 후춧가루	
	□ 깨소금 조금	

1. 양파는 곱게 다져서 마른 팬에 볶는다.

2. 고기는 핏물을 키친타월로 뺀다.

3. 분량의 양념장을 만들어 고기와 양파, 찹쌀가루를 넣고 골고루 섞는다. 손으로 찰지게 치대고 둥글 넙적하게 모양을 만든다.
   ≪Tip≫ 양손에 고기반죽을 왔다갔다 던져가면서 쳐줘야 갈라지지 않고, 쫄깃한 떡갈비가 된다.

4. 팬에 기름을 두르고 약한불에서 노릇하게 굽는다.

𝒩𝒐𝒕𝐸

떡갈비는 소갈비살을 뼈에서 분리한 후에 곱게 다져 양념하고, 뼈는 데치고 밀가루를 발라 고기를 다시 붙인 요리이다. 간단하게 할 때는 다짐육을 구입하거나 기름기가 적당히 있는 소 등심 부위를 사용하는 것이 좋다. 쇠고기만 사용하면 뻑뻑할 수 있어서 돼지고기와 함께 반반 섞어서 먹으면 부드럽다.

이거 하나면 밥 한그릇 뚝딱! 고기부추쌈장

| 뒷다리살 |

🍲 분량 : 2인분

⏰ 조리시간 : 20분

🎹 난이도 : 초급

"고기하면 쌈장! 쌈장하면 고기죠! 오늘은 삼겹살 굽지 마세요. 고기가 이미 들어 있거든요. 쌈장 안에 다 넣어두었어요. 상추와 밥, 고기부추쌈장이면 간단하게 한 번에 해결할 수 있어요."

Ingredients

| 재료 | | 고기밑간 | | 고춧가루 1/2큰술 |

재료	고기밑간	
□ 다진 뒷다리살 100g	□ 소금 1/3작은술	□ 고춧가루 1/2큰술
□ 양파 1/6개	□ 후춧가루 조금	□ 다진 마늘 1작은술
□ 불린 건표고버섯 1개	□ 청주 1큰술	
□ 청양고추 1개		〈B 양념〉
□ 대파 4cm 1대		양념		□ 물엿 1큰술
□ 참기름 1큰술	〈A 양념〉	□ 간 파인애플 1큰술
□ 부추 10g	□ 된장 2큰술	(캔 파인애플 링 1/2개)
	□ 고추장 1/2큰술	□ 후춧가루 조금
		□ 참기름 1큰술

Directions

1. 돼지고기는 소금, 후춧가루, 청주로 밑간을 한다.

2. 양파, 표고버섯은 곱게 다지고 부추, 청양고추, 대파는 송송 썬다.

3. 냄비에 참기름을 두르고 돼지고기를 1분 정도 볶다가 A양념을 넣어서 살짝 볶는다.

4. 양파, 표고버섯을 넣어 함께 볶고 물 1/2컵 정도 넣어 약불에서 되직하게 끓인다.

5. 되직하게 되면 부추, 대파, 청양고추, B양념을 넣는다.

쫄깃쫄깃한 돼지불고기

| 뒷다리살 |

- 분량 : 2인분
- 조리시간 : 30분
- 난이도 : 중급

"백반집의 인기메뉴 불고기백반 일명 불백. 불고기 양념해서 재워두고 연탄 불에 구워 나오는 돼지불고기는 상추쌈만으로 든든한 식사가 돼요. 소문난 기사식당의 돼지불고기맛 도전~!"

Ingredients

재료	양념
□ 뒷다리살(불고기감) 300g	□ 간장 3큰술
□ 대파 1대	□ 설탕 1큰술
□ 양파 1/2개	□ 다진 마늘 1큰술
□ 당근 1/8개	□ 후춧가루 1작은술
□ 기름 2큰술	□ 청주 1큰술
	□ 깨소금 1작은술
	□ 참기름 1큰술
	□ 양파즙 2큰술(양파 1/4개 분량)
	□ 물엿 1큰술

1. 돼지고기는 핏물을 빼고 먹기 좋은 크기로 잘라서 양념장을 만들어 1시간 정도 재워둔다.
   ※Tip※ 냉장고에서 하루 정도 숙성하면 더 진하고 맛있는 돼지 불고기가 된다.

2. 양파, 당근은 5mm 정도로 굵게 채를 썰고, 대파는 어슷하게 썬다.

3. 팬에 기름을 두르고 양파와 돼지고기를 센불에서 고기가 겉면이 익을 때까지 볶는다.
   ※Tip※ 석쇠나 그릴을 이용해서 직화로 구우면 더 맛이 더 좋다.

4. 당근을 넣고 중불로 줄여서 고기를 익히고 다 익으면 대파를 넣고 불을 끈다.

1

2

3

NOTE

양파즙 대신 파일애플이나 배를 갈아서 양념에 섞어 사용하면 깔끔한 단맛도 있고, 고기의 육질을 부드럽게 한다.

아삭아삭한 맛 돼지고기콩나물찜

| 뒷다리살 |

- 분량 : 3~4인분
- 조리시간 : 40분
- 난이도 : 초급

"해물찜, 꽃게찜, 동태찜, 아구찜 등 해물과 콩나물을 넣은 찜은 있는데 고기찜은 없는 것 같아요. 쫄깃한 식감의 뒷다리살을 이용해서 콩나물과 쪘더니 밥까지 볶아먹게 되었어요. 칼칼한 매운 맛이 밥도둑이에요."

| 재료 |
| □ 뒷다리살(불고기용) 600g |
| □ 콩나물 400g |
| □ 참기름 1큰술 |
| □ 깨소금 1큰술 |
| □ 청양고추 1개 |
| □ 홍고추 1개 |
| □ 소금 1꼬집 |

| 간장 1큰술 |
| □ 간장 1큰술 |

| 양념 |
| □ 고춧가루 3큰술 |
| □ 고추장 1큰술 |
| □ 다진마늘 1큰술 |
| □ 생강즙 1작은술 |

| 녹말물 |
| □ 녹말가루 3큰술 |
| □ 물 3큰술 |

1. 양념장을 만들어 돼지고기에 30분 정도 재워 놓는다.

2. 콩나물은 지저분한 부분을 골라낸 뒤, 끓는 소금물에 살짝 1분 간 데치고 찬물에 헹궈서 물기를 꼭 짠다. 콩나물 데쳤던 물 반 컵 정도 남겨 놓는다.

   ※Tip※ 콩나물 데친 물을 육수 대용으로 사용하면 시원하고 깔끔하다.

3. 볼이 넓은 팬에 기름을 두르고 고기 양념한 것을 겉면이 변할 징 도로만 볶다가 넓게 깐다. 그 위에 콩나물을 올리고 뚜껑을 덮고 중불로 3분간 익힌다.

   ※Tip※ 뚜껑을 여닫으면 콩나물에서 비린내가 나므로 뚜껑을 닫는다.

4. 뚜껑을 열고 재료를 잘 섞어 콩나물 데친 물, 소금이나 간장을 넣어 간을 하고, 깨소금, 참기름을 넣고 양념한다.

5. 마지막으로 녹말물을 넣어서 농도를 걸쭉하게 만든다.

   ※Tip※ 녹말물은 물이 끓을 때 조금씩 나누어 넣어야 멍울이 지지 않는다.

✎NOTE

콩머리와 꼬리를 제거하면 콩나물의 비린내 걱정을 안하고 익는 시간이 같아 골고루 익힐 수 있다. 단. 콩머리와 꼬리에는 영양 성분이 많으므로 그냥 사용 하는 것이 영양학적으로는 좋다.

돼지를 품은 보랏빛 가지, 가지찜

| 뒷다리살 |

- 분량 : 8개 분량
- 조리시간 : 30분
- 난이도 : 고급

"가지는 혈액순환을 촉진하고 체내에 쌓여 있는 기름기를 씻어내는 데 효과적이어서 고혈압, 동맥경화증에 좋다고도 해요. 기존에 알려진 항암식품 브로컬리나 시금치보다 2배나 효과가 뛰어난 가지로 고기와의 음식 궁합을 높여주세요."

재료	소금물	소금 1/2작은술
□ 가지 2개	□ 소금 1큰술	□ 후춧가루 조금
□ 다진 뒷다리살 200g	□ 물 1컵	□ 생강즙 1/2작은술
□ 불린 건표고버섯 2개		
□ 당근 1/8개	양념	
□ 풋고추 1/2개	□ 간장 1작은술	
	□ 참기름 1작은술	
	□ 마늘 1작은술	

1. 가지는 4등분 해서 길이가 5cm 정도 되게 하고, 오이소박이처럼 열십자로 칼집을 넣고 소금물에 칼집이 잘 벌어질 정도로 20분 정도 절인다.
   ※Tip※ 절일 때 칼집이 바닥에 닿도록 뒤집어 절여야 더 잘 절여진다.

2. 당근, 표고버섯, 풋고추는 잘게 다진다.

3. 돼지고기에 양념을 하고 당근, 표고버섯, 풋고추와 섞는다.

4. 소금에 절인 가지의 수분을 제거하고 속에 돼지고기와 야채를 채워 넣는다.

5. 김이 오른 찜통에 7분 정도 찐다.
   ※Tip※ 너무 오래 찌면 가지가 물렁거려 맛이 없고 덜 찌면 돼지고기가 익지 않는다. 가지의 크기에 따라 시간을 조절한다.

날씬해지는 다이어트식 우엉 돼지고기덮밥

| 뒷다리살 |

- 분량 : 2인분
- 조리시간 : 30분
- 난이도 : 초급

"살찔까 우려되는 돼지고기를 걱정 없이 먹을 수 있는 음식 궁합이 있어요. 우엉은 고기를 먹고 중독을 일으켰을 때 해독작용이 있고, 입안에 염증이 생기거나 부었을 때 좋아요. 그리고 섬유질이 풍부해서 장 운동을 활발하게 해줘 다이어트에도 좋은 식품입니다."

재료	밑간	소스
▢ 뒷다리살(불고기감) 200g	▢ 청주 1큰술	▢ 간장 2큰술
▢ 우엉 1대	▢ 후춧가루 조금	▢ 청주 2큰술
▢ 풋고추 1/2개	▢ 생강즙 1작은술	▢ 다진 마늘 1작은술
▢ 당근 1/8개		▢ 설탕 2큰술
▢ 기름 2큰술	식초물	▢ 후춧가루 조금
▢ 소금 1꼬집	▢ 식초 1작은술	▢ 들기름 2큰술
	▢ 물 1컵	▢ 쌀뜨물 1/2컵

 Directions

1. 돼지고기는 청주, 후춧가루, 생강즙으로 밑간을 20분 정도 한다.

2. 당근은 굵은 채를 썰고, 풋고추도 반을 갈라 씨를 빼고 굵게 채를 썬다.

3. 우엉은 껍질을 칼등으로 긁어내듯 벗기고 어슷하게 썰어서 식초물에 담근다.
   ※Tip※ 갈변 방지를 위해 식초물을 만들어 우엉을 담근다.

4. 분량의 소스를 만든다.

5. 팬에 기름을 두르고 돼지고기를 볶다가 반쯤 익으면 우엉, 당근을 1분 정도 볶는다.

6. 소스를 부어 끓이고 국물이 자작해지면 풋고추를 넣는다.
   ※Tip※ 쌀뜨물을 넣으면 감칠맛도 나고 점성이 생겨서 덮밥용으로 먹기 좋다.

누구나 좋아하는 돼지불고기김밥

| 뒷다리살 |

🍲 분량 : 2인분
⏰ 조리시간 : 30분
🎚 난이도 : 중급

"요즘은 어느 분식점을 가도 쉽게 구입할 수 있는 게 김밥이지만, 어릴 적에는 소풍가기 전날 시장을 보며 버스에서 먹을 과자와 음료수를 사고, 김밥 재료를 샀어요. 그리고 소풍 가는 날이면 새벽부터 일어나 뜨거운 밥에 김밥을 돌돌 말고, 김밥 짜투리를 먹기 바빴었죠."

Ingredients

| 재료 | | 고기 양념 |

- 밥 2공기
- 단무지 2줄
- 오이 1/2개
- 깻잎 4장
- 시판용 우엉조림 2줄
- 뒷다리살(불고기감) 100g
- 마른 김 2장

- 백김치 또는 씻은 김치 100g
- 기름 1큰술

| 밥 양념 |
- 소금 1/3작은술
- 참기름 1큰술
- 깨소금 1큰술

- 간장 1큰술
- 설탕 1/2큰술
- 다진 마늘 1작은술
- 생강 조금
- 후춧가루 조금
- 참기름 1큰술

Directions

1. 밥에 소금, 깨소금, 참기름으로 양념을 한다.

2. 돼지고기는 양념장에 재워둔다.

3. 오이는 씨를 제거하고 단무지 두께로 자르고 김의 길이로 맞춘다.
   맛살은 반으로 가르고, 김치는 씻어두거나 물기를 뺀다.

4. 팬에 기름을 두르고 돼지고기를 볶아서 기름기와, 수분을 빼둔다.
   ※Tip※   고기에 기름이나 수분이 많으면 밥과 김이 눅눅해져서 맛이 없다.

5. 김발 위에 김을 깔고 밥 1공기를 김 면적에 2/3 정도 차지하게 넓
   게 편다. 깻잎을 각각 놓고 재료를 모두 넣어 돌돌 만다.

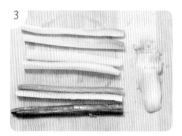

홈메이드 멕시칸푸드 포크 퀘사디아

| 뒷다리살 |

- 분량 : 2인분
- 조리시간 : 30분
- 난이도 : 중급

"퀘사디아는 멕시코의 음식으로 밀가루나 옥수수로 만든 또띠아에 치즈와 야채 돼지고기, 해산물 등 다양한 재료를 넣어 반으로 접어 반달모양으로 만든 음식이에요. 퀘사디아를 먹으면서 남미의 뜨거운 정열이 느껴지는 것 같아요."

재료	모짜렐라치즈 100g	소스
▢ 또띠아 2장	▢ 파슬리가루 조금	▢ 칠리소스 2큰술
▢ 마늘 1쪽		▢ 바비큐소스 1큰술
▢ 양파 1/6개	밑간	▢ 핫소스 1작은술
▢ 피망 1/4개	▢ 청주 1큰술	▢ 소금 1꼬집
▢ 뒷다리살(불고기용) 200g	▢ 후춧가루 조금	▢ 후춧가루 조금
▢ 파인애플 링 1개	▢ 생강즙 1작은술	
▢ 올리브유 2큰술		

1. 돼지고기는 밑간 재료를 넣고 밑간을 한다.

2. 양파, 피망, 마늘은 채를 썰고 파인애플은 1cm 두께로 자른다.

3. 올리브유를 두르고 마늘을 볶아 향을 내고 돼지고기를 볶는다. 반쯤 익으면 양파를 넣고 재료가 다 익으면 피망, 파인애플, 소스를 넣어 간을 맞춘다.

4. 또띠아 반쪽에 치즈를 골고루 뿌리고 볶은 재료를 올린다. 그 위에 다시 치즈를 올려 반을 접는다.

5. 200℃로 예열한 오븐에서 5분 정도 굽거나 팬에서 치즈가 녹을 정도로 굽는다. 4~5등분으로 자르고, 파슬리가루나 로즈마리를 뿌려 장식한다.

그윽한 생강향이 좋은 돼지고기 생강구이

| 뒷다리살 |

🍲 분량 : 2인분
⏰ 조리시간 : 30분
🎋 난이도 : 초급

"생강은 고기의 잡냄새를 제거해줄 뿐만 아니라, 몸을 따뜻하게 해주는 열이 많은 식품으로 찬성질의 돼지고기와 찰떡궁합이에요. 그리고 신진대사를 촉진하는 역할을 하고, 혈액을 맑게 하며 위장 운동을 활발하게 해줘요."

| 재료 | | 청주 1큰술 |

| 재료 |
□ 뒷다리살(제육용) 300g
□ 통생강 30g
□ 대파 2대

| 밑간 |
□ 생강즙 1작은술
□ 간장 1작은술

□ 청주 1큰술

| 양념 |
□ 생강즙 1큰술
□ 간장 2큰술
□ 미림 2큰술
□ 설탕 1큰술

Directions

1. 돼지고기는 밑간 재료를 넣고 20분 정도 밑간을 한다.

2. 대파와 생강은 가늘게 채를 썰어서 찬물에 담근다.
   ※Tip※ 찬물에 담그면 대파의 매운맛과 생강의 전분을 제거할 수 있다.

3. 팬에 기름을 두르고 밑간한 돼지고기를 강한 불로 1분간 볶는다.

4. 고기가 반 정도 익으면 중불로 낮추고 양념장을 부어가면서 고기를 익힌다.
   ※Tip※ 진한 양념의 고기나 두꺼운 고기의 경우에 간장 양념을 바로 하지 않고 고기를 먼저 초벌로 익힌 후 양념소스를 부어야 고기가 타지 않는다.

5. 대파 채는 접시에 깔고 익힌 돼지고기를 올리고 생강을 얹어서 장식한다.

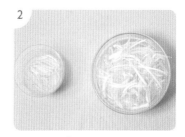

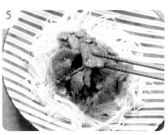

무엇을 품고 있니 유부돼지고기조림

| 뒷다리살 |

- 분량 : 10개 분량
- 조리시간 : 30분
- 난이도 : 초급

"유부는 두부를 튀겨서 만든 식품으로 유부초밥이나 된장국에 많이 이용되는데요. 유부에는 단백질, 칼슘, 지질, 철분의 함량이 높아 어린이 성장 발육에 좋은데, 비타민 A와 C는 없어서 당근과 함께 먹으면 더 좋아요."

| 재료 |
- 다진 뒷다리살 100g
- 양파 1/4개
- 당근 1/10개
- 실파 2줄
- 당면 10g
- 유부 10장

| 양념 |
- 소금 1/3작은술
- 후춧가루 조금
- 다진 마늘 1/2작은술
- 다진 생강 조금
- 깨소금 조금

| 조림장 |
- 다시마야채육수 1컵
- 간장 2큰술
- 청주 1큰술
- 설탕 1큰술

1. 양파, 당근, 실파는 잘게 다지고, 돼지고기는 소금, 후춧가루를 조금씩 넣어 밑간을 한다.

2. 당면은 미지근한 물에 20분 정도 불린 후, 끓는 물에 5분 정도 삶은 후 잘게 다진다.

3. 돼지고기와 양파, 당근, 실파, 당면을 모두 섞어 양념한다.

4. 유부 끝을 잘라서 속을 벌리고 데친다. 그리고 물기를 제거하고 속에 **3**의 소를 채워 넣는다. 이쑤시개나 데친 실파 또는 미나리로 묶는다.
   ※Tip※ 유부는 물에 살짝 데치면 기름기가 빠져서 깔끔하고 담백하다.

5. 조림장에 넣어 조린다.

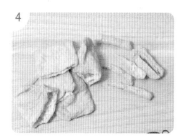

Part
5

목살
특수부위

목살숙주볶음 / 목살김치찌개 / 제육볶음 / 고추장찌개 / 목살달래된장구이 맥적 / 파인애플과 목살스테이크 / 목살야채꼬치구이 / 사과목살 찹스테이크 / 포크 데리야끼구이 / 꽈리고추버섯산적 / 냉채족발 / 매운족발볶음 / 양념 순대볶음 / 오향장육 / 과일편육겨자채 / 우거지 감자탕 / 돼지고기로 만든 육개장 돈개장 / 단호박묵은지 김치찜 / 덧살호박버섯볶음 / 연근항정살조림

휘리릭 간단 반찬 목살 숙주 볶음

| 목살 |

- 분량 : 2인분
- 조리시간 : 30분
- 난이도 : 초급

"오늘은 어떤 반찬을 해먹을까? 매일 저녁 엄마들의 큰 고민거리중의 하나에요. 가족들과 함께 먹는 반찬, 국 색다르게 먹고 싶은데, 시간 없는 워킹맘을 위한 후다닥 반찬입니다. 부드러운 목살과 아삭한 숙주가 잘 어울려요."

Ingredients

재료	
□ 목살(불고기감) 200g	□ 후춧가루 조금
□ 숙주 200g	□ 청주 1큰술
□ 대파 1대	
□ 마늘 2쪽		양념	
□ 기름 2큰술	□ 소금 2꼬집
	□ 후춧가루 조금
	밑간		□ 참기름 1큰술
□ 간장 1작은술	□ 깨소금 1큰술
	□ 굴소스 1작은술

Directions

1. 돼지고기는 한입 크기로 썰어서 20분간 밑간을 한다.

2. 숙주는 지저분한 부분을 골라내고 손질한다.

3. 대파는 어슷썰고, 마늘은 채를 썬다.

4. 팬에 기름을 두르고 마늘을 30초 정도 볶아 향을 내고 돼지고기를 볶는다.

5. 고기가 익으면 숙주, 대파, 양념을 넣고 1분간 볶는다.

사계절 내내 국민 반찬 제육볶음

| 목살 |

🍲 분량 : 2인분
⏰ 조리시간 : 40분
♨ 난이도 : 초급

"집에서 자주 먹지만, 백반으로 사먹을 때도 자주 먹게 되는 것이 제육볶음이 아닐까 싶어요. 특별할 것도 없는 평범한 요리를 제대로 할 줄 알아야 다른 음식도 쉽게 접근 하고 응용 할 수 있겠죠."

재료	밑간	설탕 1큰술
☐ 목살(제육용) 300g	☐ 청주 1큰술	☐ 다진 마늘 1큰술
☐ 양파 1/4개	☐ 생강즙 1큰술	☐ 다진 생강 1작은술
☐ 당근 1/8개	☐ 소금 1작은술	☐ 간장 1큰술
☐ 대파 1대		☐ 후춧가루 조금
☐ 청양고추 1개	양념	☐ 깨소금 1작은술
☐ 깻잎 5장	☐ 고추장 2큰술	☐ 참기름 1큰술
☐ 기름 2큰술	☐ 고춧가루 2큰술	

 Directions

1. 고기는 한입 크기로 잘라 청주, 생강즙, 소금으로 10분 정도 밑간한다.
   ::Tip:: 양념하기 전에 먼저 밑간을 하면 고기의 누린내를 제거할 수 있다.

2. 양념장을 만들어 밑간한 고기와 고루 섞어 20~30분 재운다.

3. 양파와 당근, 깻잎은 굵게 채를 썰고, 대파와 청양고추는 어슷하게 썬다.

4. 기름을 두르고 양파와 당근을 먼저 볶아 향을 낸 뒤 양념한 돼지고기를 볶는다.

5. 고기가 다 익으면 대파, 청양고추, 깻잎을 넣어 볶는다.

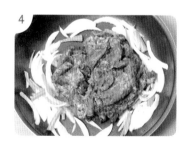

✐ N O T E

양념해 둔 고기는 먹을 양만큼 혹은 2인분씩 나눠서 냉동보관해 두면 간편하다.

자꾸자꾸 생각나는 고추장찌개

| 목살 |

- 분량 : 2인분
- 조리시간 : 20시간
- 난이도 : 초급

" 요즘은 고추장을 만들어 먹지 않기 때문에 고추장찌개를 해도 제 맛이 안 나는데, 시골 된장과 달지 않은 고추장이 있다면 고추장찌개를 만들어 보세요. 고추장의 단백질 분해효소의 작용으로 돼지고기와 함께 먹으면 소화도 잘되고 속이 부담스럽지 않아요. "

Ingredients

| 재료 |

□ 목살(찌개용) 200g
□ 양파 1/4개
□ 애호박 1/4개
□ 감자 2개
□ 풋고추 1개
□ 홍고추 1개
□ 대파 1/2대

□ 멸치육수 3컵
□ 소금 1꼬집
□ 후춧가루 조금
□ 참기름 2큰술

| 밑간 |

□ 청주 2큰술
□ 후춧가루 1/3작은술

□ 생강즙 1작은술

| 양념 |

□ 고추장 2큰술
□ 고춧가루 1큰술
□ 된장 2큰술
□ 다진 마늘 1큰술

Directions

1. 고기는 2~3cm 정도로 썰어서 밑간을 한다.

2. 감자는 6~8등분하고, 양파와 애호박은 1cm 정도로 깍둑 썰고, 대파, 풋고추, 홍고추는 어슷하게 썬다.

3. 냄비에 참기름을 두르고 돼지고기를 겉면이 노릇할 정도로 볶는다. 감자와 양파를 넣어 볶다 양파가 투명해지면 양념을 넣어 마저 볶는다.

4. 3에 멸치육수를 3컵을 부어서 끓어오르면 애호박을 넣어 익힌다. 모든 재료가 익으면 대파, 고추를 넣고 소금과 후춧가루로 간을 한다.

✑ N O T E

두부를 마지막쯤에 넣어도 담백하고, 불린 당면을 넣고 끓여도 먹는 재미가 쏠쏠하다.

전통의 맛 목살달래된장구이(맥적)

| 목살 |

- 분량 : 2인분
- 조리시간 : 40분
- 난이도 : 초급

"옛날 고구려 사람들을 맥족이라고 불렀는데 고구려 사람들이 먹던 고기라 하여 맥적이라고 불렀다고 합니다. 지금 즐겨먹는 불고기의 원조가 이 맥적인데, 된장을 바른 돼지고기구이에요. 따뜻한 성질의 달래는 찬 성질의 돼지고기와 먹으면 궁합도 잘맞고, 소화도 촉진됩니다. "

Ingredients

| 재료 |
- □ 목살 300g(1cm 두께)
- □ 달래 50g
- □ 기름 2큰술

| 밑간 |
- □ 된장 2큰술
- □ 마늘 1큰술

- □ 청주 1큰술
- □ 꿀 1큰술
- □ 참기름 2큰술
- □ 후춧가루 조금
- □ 생강즙 1작은술
- □ 깨 1작은술

Directions

1. 돼지고기는 0.5~0.7cm 정도 두께로 준비해서 칼끝으로 힘줄을 찔러가면서 끊고, 칼등으로 두들긴다.

   ※Tip※ 고기의 힘줄을 끊으면 고기가 익으면서 오그라드는 것을 방지해 주고, 칼등으로 두들기면 고기가 더 연해져요

2. 달래는 굵게 다지고 양념장과 섞는다.

3. 양념장에 돼지고기를 30분 정도 재워 놓는다.

4. 팬에 기름을 두르고 중약불에서 돼지고기를 앞뒤로 잘 익힌다.

   ※Tip※ 너무 강한 불로 하면 된장이 타버리고 고기는 익지 않으므로, 충분히 익을 수 있도록 중약불로 익히는 것이 좋다.

럭셔리한 파인애플과 목살스테이크

| 목살 |

- 분량 : 2인분
- 조리시간 : 40분
- 난이도 : 중급

"스테이크로는 소고기로 만든 등심, 안심스테이크를 가장 많이 즐기는데 가격부담이 많이 되잖아요. 돼지고기로 스테이크를 만들면 웰던(well done)으로 익혀 먹어도 질기지 않아 좋고, 온가족이 저렴한 가격으로 배부르게 먹을 수 있어요."

Ingredients

재료
▫ 목살 400g(1cm 두께)
▫ 파인애플 링 1조각
▫ 양파 1/2개
▫ 올리브유 3큰술

▫ 후춧가루 약간
▫ 월계수잎 4장
▫ 파인애플즙 2큰술(캔파인애
플링 1개 분량)
▫ 올리브유 1큰술

▫ 굴소스 1작은술
▫ 다진 마늘 1작은술
▫ 설탕 1작은술
▫ 파인애플즙 2큰술 (캔 파
인애플링 1개)

밑간
▫ 소금 1작은술

소스
▫ 간장 1큰술

Directions

1. 목살은 밑간을 하고 올리브유를 발라서 20~30분간 냉장고에
   서 숙성한다.

2. 양파는 링으로 자르고 팬에 올리브유를 두르고 파인애플과 양
   파를 굽는다.

3. 팬에 올리브유를 두르고 목살을 센불로 앞뒤 1분간 노릇하게
   굽는다. 불을 약하게 줄여서 3분간 익힌다.

4. 소스를 스테이크고기에 끼얹어 가면서 조린다.

NOTE

파인애플은 브로멜린이라는 효소가 단백질을 분해시켜서 소화에 도움을 주
고, 음식에 사용하면 고기를 연하게 만들어준다. 비타민C가 많아 피로회복
에 좋고, 식이섬유도 풍부해서 장 운동을 활발하게 하여 변비에 효과적이다.

레드와인에 절인 목살야채꼬치구이

| 목살 |

- 분량 : 꼬치 10개
- 조리시간 : 40분
- 난이도 : 중급

"같은 식재료도 먹는 방법에 따라, 양념에 따라, 담은 방식에 따라 맛이 달라져요. 캠핑 갔을 때 꼬치에 고기와 야채를 한 개씩 꽂아 그릴이나 석쇠에 구우면 즐거운 식사가 될 것 같아요. 조금 심심하다면 칠리소스, 데리야끼 소스를 발라가면서 구우면 업그레이드된 맛을 즐길 수 있답니다."

Ingredients

재료	밑간	소스
□ 목살 200g	□ 소금 1/2작은술	□ 소금 2꼬집
□ 양파 1/2개	□ 통후추 10알	□ 후춧가루 조금
□ 파프리카 1/2개	□ 레드와인 1컵	□ 파슬리 2꼬집
□ 양송이버섯 5개		
□ 마늘 10쪽		
□ 꼬치 10개		
□ 올리브유 3큰술		

Directions

1. 목살은 3×3cm 정도로 잘라서 소금, 통후추, 레드와인에 20분간 담근다.

2. 양파, 파프리카는 3×3cm 정도로 자르고, 양송이버섯은 반으로 자른다.
   ※ Tip ※ 여러 색깔의 파프리카로 섞어 사용하면 보기에도 좋다.

3. 와인에 담근 목살은 건져서 팬에 올리브유를 두르고 반 정도 초벌로 굽는다.
   ※ Tip ※ 꼬치에 안 익은 고기를 꽂으면 야채는 타고 고기는 안 익을 수 있으므로 초벌로 굽는다. 또는 고기가 작으면 야채와 함께 익혀도 된다.

4. 꼬치에 야채와 목살을 꽂는다.

5. 팬에 올리브유를 두르고 약한 불에서 앞뒤로 3~4분간 굽는다. 소금, 후춧가루, 파슬리를 뿌리면서 야채와 고기를 익힌다.

아삭하고 상큼한 사과 목살 찹스테이크

| 목살 |

- 🍲 분량 : 2인분
- ⏰ 조리시간 : 40분
- 〰 난이도 : 초급

"'사과를 하루에 한 개씩 먹으면 의사가 필요 없다' 라는 영국 속담처럼 사과는 우리 몸에 좋은 효과가 많다고 해요. 아침에 사과 한 개씩 그리고 요리할 때도 사과를 곁들여서 맛과 건강을 챙겨 보세요."

Ingredients

재료	밑간	소스
□ 목살(로스용) 300g	□ 소금 1꼬집	□ 우스터소스 1큰술
□ 사과 1/4개	□ 후춧가루 조금	□ 레드와인 1큰술
□ 양파 1/4개	□ 로즈마리 1꼬집	□ 간 사과 2큰술
□ 청피망 1/4개	□ 올리브유 1큰술	□ 설탕 1큰술
□ 홍피망 1/4개		□ 시나몬가루 조금
□ 올리브유 2큰술		

Directions

1. 목살은 2×2cm 정도로 잘라서 소금, 후춧가루, 로즈마리로 밑간을 하고 올리브유를 발라서 20~30분간 냉장고에서 숙성한다.

2. 사과는 0.5cm 두께로 저미고 설탕물에 담근다.
   ※Tip※ 과일은 갈변 방지를 위해서 설탕물이나 식초물에 담그어 사용하는 것이 좋다. 설탕물은 물 1컵에 설탕 1작은술이면 적당하다.

3. 양파, 피망은 2×2cm 정도로 썬다.

4. 팬에 올리브유를 두르고 목살을 센 불로 노릇하게 굽는다. 양파를 넣어 투명하게 볶는다.

5. 사과와 소스를 넣고 중불로 사과를 노릇하게 볶고, 피망을 넣어 살짝 볶는다.
   ※Tip※ 사과를 아삭하게 먹고 싶다면 살짝 볶고, 캬라멜화 시키고 싶다면 좀 더 볶으면 된다.

✑NOTE

사과는 뇌졸중, 고혈압, 동맥경화, 당뇨병 등 각종 성인병의 예방에 좋고, 사과의 펙틴은 혈액 중의 콜레스테롤과 혈당을 낮추는 작용을 한다. 그리고 사과의 과육과 껍질 사이에 섬유소가 30% 포함되어 있으므로 껍질째 먹는 것이 효과적으로 먹을 수 있다.

짭조름한 포크 데리야끼구이

| 목살 |

- 분량 : 2인분
- 조리시간 : 20분
- 난이도 : 중급

" 데리야끼소스는 간장, 미림, 술 등을 넣고 반으로 줄어들 때까지 졸이는 소스로 붉은 살 생선인 삼치, 고등어, 연어요리에도 어울리고, 닭고기, 돼지고기 같은 육류에도 어울리는 참 쓰임새 많은 소스예요. 데리야끼소스는 미리 만들어 두고 유리병에 담아둔 후 조금씩 덜어 사용해도 됩니다. "

재료		밑간		
▫ 목살(로스용) 300g		▫ 소금 1꼬집		▫ 설탕 4큰술
▫ 대파 1/2대		▫ 후춧가루 조금		▫ 청주 4큰술
▫ 마늘 5쪽		▫ 청주 1큰술		
▫ 생강 1톨(10g)				
▫ 통후추 10알		데리야끼 소스		
▫ 건고추 1개		▫ 간장 6큰술		
▫ 기름 2큰술		▫ 미림 6큰술		

1. 목살은 두들기고 칼집을 넣어 밑간을 한다.

2. 데리야끼소스에 대파, 마늘, 생강, 통후추, 건고추를 자르지 않고 통으로 넣어 소스가 반으로 줄어들 때까지 끓인다.

3. 팬에 기름을 두르고 목살을 앞뒤로 센 불로 1분간 굽는다.
   ※Tip※   초벌로 먼저 익히고 소스를 넣고 졸여야 재료가 타지 않게 익힐 수 있다.

4. 약한 불에서 데리야끼소스를 부어가면서 윤기 나게 고기를 익힌다.

◑NOTE

밥에 곁들여 덮밥으로 즐겨도 좋다. 담아놨을 때 심심하다면 파채, 양파채 등을 깔거나 위에 산초가루, 생강채, 마늘 튀김 등을 곁들여도 좋다.

쫄깃한 뉴 아이템 꽈리고추버섯산적

| 목살 |

- 🍲 분량 : 2인분(꼬치 10개)
- ⏰ 조리시간 : 30분
- 〰 난이도 : 중급

"꽈리고추에 있는 캡사이신은 위액 분비를 촉진시키고 식욕을 좋게 하며 항산화효과가 있습니다. 그리고 비타민C, 철, 인이 다량 함유되어 있어 소고기와 돼지고기와 함께 먹으면 영양성분을 보완하는데 좋고, 기름에 볶아먹으면 베타카로틴 성분 흡수가 더 잘 됩니다. "

재료		밑간
□ 목살 100g		□ 간장 1작은술
□ 느타리버섯 100g		□ 설탕 1/2작은술
□ 꽈리고추 20개		□ 다진 마늘 1/3작은술
□ 꼬치 10개		□ 후춧가루 조금
□ 밀가루 1큰술		□ 참기름 1/2작은술
□ 달걀 1개		
□ 기름 2큰술		

1. 돼지고기가 두꺼우면 7×1cm 정도로 잘라서 밑간을 한다.
   ※Tip※ 꼬치에 꽂아 익힐 때 잘 안익을 수 있으므로 두께는 얇게 써는 것이 좋다.

2. 느타리버섯은 굵은 것은 찢어서 돼지고기 크기로 만든다.

3. 꽈리고추는 끓는 물에 살짝 데쳐서 찬물에 헹군다.
   ※Tip※ 꽈리고추는 매운맛을 제거하기 위해서 살짝 데쳐서 사용한다.

4. 꼬치에 재료를 꽂아서 밀가루, 달걀을 입혀서 팬에서 기름을 두르고 앞뒤로 지진다.

코끝이 찡한 매운맛 냉채 족발

| 특수부위 |

- 분량 : 2인분
- 조리시간 : 20분
- 난이도 : 초급

"족발하면 으레 뜨끈뜨끈한 족발을 통에서 갓 꺼내서 김이 모락모락 나고, 이걸 편을 썰어 야채와 함께 새우젓이나 쌈장에 찍어먹는 것을 떠올리죠. 그래서 식은 족발은 처치곤란이 되기도 합니다. 먹다 남은 족발에 샐러드처럼 야채를 깔고 매콤한 겨자소스를 곁들이면 환상궁합입니다."

Ingredients

재료		겨자 소스
□ 치커리 100g		□ 다진 마늘 1큰술
□ 적양파 1/3개		□ 식초 4큰술
□ 파프리카 1/4개		□ 설탕 3큰술
□ 족발 300g		□ 소금 1작은술
□ 오이 1/4개		□ 연겨자 2큰술
□ 배 1/4개		

1. 적양파와 파프리카는 링으로 썰고, 오이는 어슷하게, 배는 굵게 채를 썬다.

2. 치커리는 싱싱하게 찬물에 10분 정도 담갔다가 물기를 뺀 후 손으로 먹기 좋은 크기로 찢는다. **1**의 야채와 섞는다.

3. 분량의 겨자 소스 재료를 모두 섞어 소스를 만든다.

4. 접시에 야채와 족발을 올리고, 소스를 끼얹거나 곁들인다.
   ∷Tip∷ 미리 야채에 소스를 끼얹으면 물이 생기고, 싱거워지므로 먹기 직전에 끼얹거나 따로 상에 곁들인다.

∅NOTE

족발은 단백질 콜라겐과 엘라스틴이 풍부하고 무기질이 적어 다이어트와 피부에 좋은 음식이다. 불포화지방산을 함유해 혈관 내 콜레스테롤의 축적을 막아준다.

119, 입에 불이 났어요. 매운족발볶음

| 특수부위 |

🍲 분량 : 2인분

⏱ 조리시간 : 30분

🍴 난이도 : 초급

"스트레스 받은 날 화끈하게 매운 음식을 먹으면서 땀을 삐질삐질 흘리고, 오물조물 씹고 나면 스트레스는 날아가고 통통하게 부은 입술만 남아요. 우유나 누룽지, 김 넣은 주먹밥 옆에 준비하시고 불족발로 활기차게 힐링해요."

Ingredients

재료
족발 300g
양파 1/2개
청양고추 1개
홍고추 1개
깻잎 10장
당근 1/6개
양배추 1/8통

□ 기름 2큰술

양념
고추장 3큰술
간장 1큰술
고춧가루 4큰술
청주 1큰술
올리고당 1큰술

□ 다진 마늘 1큰술
□ 설탕 1큰술
□ 후춧가루 조금
□ 생강즙 1큰술

Directions

1. 양파, 당근, 양배추, 깻잎은 굵게 채를 썰고, 청양고추와 홍고추는 어슷하게 썬다.

2. 족발에 양념장을 넣어 조물조물 30분간 재워둔다.
   ※Tip※ 매운 양념을 원할 때는 고춧가루를 청양고춧가루로 사용한다.

3. 팬에 기름을 두르고 양파, 당근, 양배추를 볶는다.

4. 야채가 투명해지면 양념한 족발을 넣어 볶고 마지막에 깻잎, 청양고추, 홍고추를 넣는다.
   ※Tip※ 깻잎, 청양고추, 홍고추를 넣고는 섞어질 정도로만 볶아야 깻잎 향이 살아 있다.

1

2

3

♪NOTE

족발 삶는 법

재료 : 족 1kg

A : 생강 10g, 마늘 5쪽, 통후추 10알, 양파 1개, 대파 1대

B : 생강 10g, 마늘 5쪽, 통후추 10알, 계피 약간(5g), 감초 약간(1~2개), 건고추 3개, 정향 3개, 간장 3컵, 흑설탕 2큰술, 물엿 4큰술, 콜라 1/2컵, 커피 1작은술, 물 3ℓ

❶ 족발을 찬물에 담가 4시간 정도 핏물을 빼고, 털을 면도기로 깨끗하게 제거한다.

❷ 족발이 충분히 잠기는 물에 A를 넣고 1시간 정도 삶는다.

❸ 삶은 족발을 깨끗하게 씻는다.

❹ B를 넣어 끓이고 씻은 족발을 넣어 2시간 정도 익을 때까지 삶는다.

백순대 대신 매콤한 양념 순대볶음

| 특수부위 |

- 분량 : 2인분
- 조리시간 : 30분
- 난이도 : 초급

"고서 본초강목에 의하면 돼지 피는 빈혈, 심장쇠약, 어지럼증, 두통 등에 좋고 간은 빈혈, 야맹증, 시력감퇴, 간염, 간기능저하 등을 예방한다고 했습니다. 순대에는 특히 철분이 많아 빈혈에 좋고 저지방, 저콜레스테롤, 저칼로리식품으로 다이어트에 좋아요."

| 재료 |
- 시판용 순대 300g
- 양파 1/2개
- 당근 1/6개
- 양배추 3장
- 깻잎 10장
- 떡볶이떡 5개
- 들깨가루 1큰술
- 기름 2큰술

| 양념 |
- 고추장 2큰술
- 고춧가루 3큰술
- 다진마늘 1큰술
- 청주 1큰술
- 들기름 1큰술
- 후춧가루 조금

1. 순대는 굵게 링으로 썬다.
   Tip 시판용 냉장순대를 구입하고, 데우거나 데치지 않고 굳혀진 상태로 해야 볶았을 때 터지거나 부서지지 않는다.

2. 양파, 당근, 양배추, 깻잎은 굵게 채를 썰고, 떡은 굵게 어슷하게 썬다.

3. 분량의 재료를 섞어 양념장을 만들어 놓는다.

4. 팬에 기름을 두르고 양파, 당근, 양배추를 볶다가 양파가 투명해지면 순대와 떡을 넣고 순대와 떡이 부드러워질 때까지 볶는다.

5. 양념장을 넣어 볶고 마지막에 깻잎, 들깨가루을 넣는다.

오묘한 맛 매력적인 오향장육

| 특수부위 |

- 분량 : 2인분
- 조리시간 : 1시간
- 난이도 : 중급

"오향장육은 팔각, 계피, 진피, 정향, 산초 다섯 가지의 향신료와 간장소스를 넣고 조린 돼지고기음식을 말합니다. 이들 중 팔각은 신종플루의 유일한 치료제 타미플루의 원료물질인 향신료로 특히 감기 예방에 효과가 있는 것으로 알려져 있어요."

Ingredients

재료
□ 사태 600g
□ 오이 1/2개
□ 대파 1대
□ 고추기름 3큰술

고기 삶는 육수
□ 팔각 2개

□ 계피 약간
□ 대파 잎 5장
□ 생강 1톨(20g)
□ 마늘 5쪽
□ 통후추 10알
□ 물 2L

장육 소스
□ 간장 5큰술
□ 청주 2큰술
□ 흑설탕 2큰술

Directions

1. 2L의 물에 팔각, 계피, 대파잎, 통생강, 마늘, 통후추를 넣고 끓인다.

2. 물이 끓으면 사태를 넣고 뚜껑을 열고 10분 정도 끓이다가 중불로 뚜껑을 닫고 20분 정도 익힌다.

   ※Tip※ 오향장육에 들어가는 다섯 가지 향신료는 형편에 따라 생략해도 된다. 경동시장 약재상이나 수입식재료 판매처, 인터넷쇼핑몰 등에서 구입가능하다.

3. 다른 냄비에 장육 소스와 익힌 사태를 넣고 10분 정도 더 익힌다.

4. 식으면 사태는 얇게 편을 썰고, 장육 소스는 식혀 둔다.

5. 식은 소스에 고추기름 3큰술을 섞어서 고기 위에 끼얹어 곁들인다.

6. 오이는 두껍게 어슷하게 썰고, 대파는 가늘게 채를 썰어서 장식한다.

하루에 과일 한 개씩! 과일편육겨자채

| 특수부위 |

- 분량 : 2인분
- 조리시간 : 70분
- 난이도 : 초급

"야채 뿐만 아니라 과일도 고기와 함께 먹으면 느끼함도 없고 식욕을 돋게 해줘요. 과일 속에는 수분이 85~90%, 탄수화물 10~12% 정도가 함유되어 있고, 무기질, 비타민, 섬유소를 많이 함유하고 있어 변비를 예방하고 소화기관을 튼튼하게 해줍니다."

재료	고기 삶는 재료	겨자 소스
□ 사태 600g	□ 양파 1/2개	□ 연겨자 2큰술
□ 배 1/4개	□ 무 100g	□ 식초 4큰술
□ 사과 1/4개	□ 대파잎 3장	□ 설탕 2큰술
□ 밤 4개	□ 마늘 5쪽	□ 소금 1/3작은술
□ 대추 4개	□ 생강 1톨(20g)	□ 간장 1작은술
□ 단감 1/2개	□ 물 2L	
□ 오이 1/2개	□ 통후추 10알(후춧가루 1큰술)	

1. 사태는 찬물에 30분 정도 담가 핏물을 뺀다.
   ☞Tip☜ 돼지고기의 핏물을 빼면 잡냄새 제거를 하고 부드럽게 섭취할 수 있다

2. 물에 양파, 무, 파, 마늘, 생강, 통후추를 넣고 끓으면 핏물을
   잘 뺀 사태를 넣어 30분 정도 삶는다.
   ☞Tip☜ 편육으로 먹는 고기는 끓는 물에 고기를 넣어 삶는다. 모양을 잘 유지
   하고 싶다면 돼지고기를 실로 묶어서 삶는다.

3. 과일은 모두 5×1cm 정도 크기로 굵게 편을 썬다.
   ☞Tip☜ 과일을 미리 썰어 놓은 경우 설탕물에 담가, 갈변을 방지한다.

4. 삶은 고기는 찢거나 칼로 썬다.

5. 겨자 소스를 만들어서 야채와 고기를 모두 버무린다. 또는 고기
   에 버무리고 야채를 곁들인 후 각자의 취향에 맞게 먹도록 한다.

✑NOTE

계절에 따라 귤, 오렌지, 곶감 등 과일을 달리 한다. 양배추, 당근 등 단단한 야
채를 넣어 버무려도 좋다.

집에서도 손쉽게 우거지 감자탕

| 특수부위 |

- 분량 : 3~4인분
- 조리시간 : 2시간
- 난이도 : 중급

"우거지는 영양이 풍부하고 숙취해소가 잘되며, 섬유질이 풍부해서 대장운동을 원활하게 하여 변비예방에 좋다. 열량이 낮아서 다이어트에 효과적이며, 비타민C가 많아서 감기예방에 좋다."

Ingredients

재료	육수	우거지 양념
▫ 돼지등뼈 1kg	▫ 마늘 10쪽	▫ 된장 2큰술
▫ 데친 우거지 200g	▫ 생강 1톨(20g)	▫ 마늘 1큰술
▫ 감자 2개	▫ 양파 1개	▫ 고춧가루 1큰술
▫ 소금 1큰술	▫ 청주 1컵	▫ 국간장 1큰술
▫ 들깨가루 2큰술	▫ 물 4L	

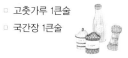

Directions

1. 등뼈는 찬물에 1시간 정도 담그고, 핏물을 뺀다.

2. 물에 마늘, 생강, 양파, 청주, 등뼈를 넣고 40분 정도 푹 삶는다. 등뼈는 찬물에 살짝 헹구고 육수는 체에 걸러 둔다.

3. 우거지는 양념해서 조물조물 무친다.
   × Tip × 미리 우거지에 양념을 하고 볶으면 맛이 진해지고 구수하다.

4. 냄비에 참기름을 두르고 우거지를 달달 볶는다. 그리고 만들어 놓은 육수와 뼈를 넣고 끓이다가 감자를 넣고 뭉근히 끓인다.

5. 감자가 익으면 간을 하고, 취향에 따라 들깨가루를 넣는다.

✎NOTE

배추를 싸고 있는 겉 잎 3~4장 정도를 우거지라고 하는데, 미리 삶아 놓고 냉동시켜 놓고 사용하면 편리해요.

우거지 삶는 방법!
❶ 배추가 잠길 정도로 넉넉한 물을 끓인다.
❷ 소금을 넣고 배추를 5분 정도 끓인다.
❸ 찬물로 헹구고 물기를 꼭 짠다.

돼지고기로 만든 육개장 돈개장

| 특수부위 |

🍲 분량 : 3~4인분

⏰ 조리시간 : 90분

🎏 난이도 : 초급

"소고기로 만든 것은 육개장, 닭고기로 만든 것을 닭개장이라고 하는데, 왜 돈개장은 없나요? 육질도 더 부드럽고 만들기도 간단하고, 육개장, 닭개장과 비교해도 손색없는 맛이에요."

Ingredients

재료		
□ 사태 300g	□ 소금 1작은술	**양념**
□ 숙주 200g	□ 후춧가루 조금	□ 고춧가루 4큰술
□ 고사리 200g		□ 다진 마늘 1큰술
□ 대파 3대	**육수**	□ 국간장 1큰술
□ 청양고추 1개	□ 마늘 5쪽	
□ 느타리버섯 200g	□ 생강 1톨(10g)	
□ 고추기름 2큰술	□ 양파 1/2개	
	□ 무 1/10개	

Directions

1. 사태는 찬물에 30분 정도 담그고 핏물을 뺀다.

2. 육수 재료를 넣고 40분 정도 익히고, 고기는 건져서 찢고, 육수는 체에 걸러둔다.

3. 끓는 물에 숙주, 고사리, 느타리버섯, 대파 잎은 데쳐서 5cm 길이로 썬다.
   ※Tip※ 대파는 데쳐서 바락바락 주물러 진액을 빼는 것이 깔끔하나.

4. 고기와 야채는 양념 재료를 넣고 양념한다.

5. 냄비에 고추기름을 두르고 양념한 야채와 고기를 볶는다. 그리고 육수를 부어 끓인다. 10분 정도 끓이다가 소금과 후춧가루로 간을 한다.

통 큰 사태가 통째로 단호박 묵은지찜

| 특수부위 |

- 🍲 분량 : 2인분
- ⏰ 조리시간 : 1시간
- 🎚 난이도 : 초급

"어린 적 할머니께서 땅속항아리에서 김치, 동치미를 꺼내오라고 큰 대접 하나를 주셨어요. 그럼 큼직하게 썰거나 통째로 식탁에 김치가 올라오고 손으로 찢어서 먹었던 기억이 나요. 자고로 김치는 찢어야 제맛. 김치, 고기를 통째로 요리하면 재료들의 맛이 모두 그 안에 배어있어요."

| 재료 |
□ 사태 300g
□ 김치 1/2포기
□ 무 1/4개(300g)
□ 단호박 1/4개
□ 멸치육수 5컵
□ 소금 1작은술

Directions

1. 무는 2cm 두께로 큼직하게 자르고, 단호박은 씨를 제거하고 두껍게 2cm 정도로 자른다.

2. 냄비 바닥에 무를 깔고, 그 위에 돼지고기, 김치를 통째로 올린다.

   ※Tip※ 무를 바닥에 깔면 돼지고기의 누린내도 잡아주고, 무에는 단백질 분해효소가 있어서 고기를 연하게 만들어 준다. 국물을 시원하게 해주는 육수작용도 해준다.

3. 멸치육수 5컵을 부어서 뚜껑을 닫고 40분 정도 무르게 찐다.

4. 단호박을 넣고 10분 정도 더 익힌 후 먹어보고 소금으로 간을 한다.

   ※Tip※ 단호박은 쉽게 무르므로 씨는 제거하고 껍질째 넣고 끓이며, 재료들이 다 익은 후에 단호박을 넣는 것이 좋다.

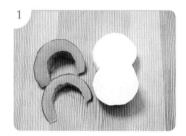

✎NOTE

단연 신김치로 하는 것이 맛이 좋다. 다른 양념을 하지 않고 김치의 맛으로 모든 양념이 배도록 하였는데, 식성에 따라 고춧가루를 첨가해서 먹는다.

맛과 영양을 모두! 덧살호박버섯볶음

| 특수부위 |

- 분량 : 2인분
- 조리시간 : 20분
- 난이도 : 초급

"호박은 맛이 달고 성질이 따뜻하며, 비타민A가 풍부하게 들어 있고 카로틴 성분도 풍부합니다. 그리고 중풍 예방, 당뇨병에 효과가 있어요. 호박과 돼지고기는 궁합이 잘 맞는 음식이라, 같이 배합하면 단백질과 비타민A 섭취가 좋아집니다."

| 재료 |
- 등심 덧살 200g
- 호박 1/2개
- 표고버섯 2개
- 양파 1/4개

| 밑간 |
- 다진 마늘 1/2작은술

- 집간장 1작은술
- 참기름 1작은술
- 후춧가루 약간

| 양념 |
- 소금 1/3작은술
- 새우젓 1작은술
- 깨소금 1작은술
- 참기름 1큰술

Directions

1. 돼지고기는 채를 썰어서 밑간을 한다.

2. 표고버섯, 양파, 호박은 5×0.5cm 정도로 굵게 채를 썬다.

3. 팬에 기름을 두르고 덧살을 먼저 볶다가 양파를 넣는다.

4. 덧살과 양파가 익으면 애호박과 새우젓을 넣는다.
   ×Tip× 버섯볶음을 할 때는 새우젓을 넣어야 감칠맛이 닌다. 새우젓만 사용
   하면 비린맛이 나므로 소금과 함께 간을 하는 것이 좋다.

5. 호박이 반쯤 익으면 표고버섯과 소금, 깨소금, 참기름을 넣어
   마무리한다.

자연을 담은 요리 연근항정살조림

| 특수부위 |

- 분량 : 2인분
- 조리시간 : 20분
- 난이도 : 초급

"아스파라거스는 로마 시대부터 미식가들은 채소로 높이 평가해왔는데, 줄기 끝부분은 통조림을 만들거나 샐러드와 요리에 쓰인다고 해요. 아직은 우리에게 조금은 낯선 식재료인 아스파라거스를 연근과 함께 반찬 요리로 만들었어요. 연근과 아스파라거스의 아삭한 식감이 부드러운 항정살과 참 잘 어울려요."

Ingredients

| 재료 |
- 연근 1/4개(100g)
- 아스파라거스 2대
- 항정살 200g
- 간장 2큰술
- 설탕 1큰술
- 깨소금 조금술

- 참기름 약간
- 기름 2큰술

| 식초물 |
- 식초 1작은술
- 물 1컵
- 항정살 200g

Directions

1. 연근은 0.5cm 두께로 썰어서 식초물에 담근다.

2. 아스파라거스는 질긴 부분을 제거하고 4~5cm 길이로 썬다.
   ※Tip※ 아스파라거스는 끝에 질긴 섬유질이 있어 필러로 제거하고 먹는 것
   이 부드럽다. 단, 많이 깎아내면 먹을 것이 없으므로 힘을 살짝 빼고
   필러로 아래 대 부분만 겉껍질을 제거한다.

3. 항정살은 너무 굵지 않게 0.5cm 정도 두께로 썬다.

4. 팬에 기름을 두르고 연근은 간장 2큰술, 설탕 1큰술을 넣고 볶
   는다.

5. 연근에 양념이 반 정도 베이면 항정살을 넣어 익히고 거의 다
   익었을 때 쯤 아스파라거스와 깨, 참기름을 넣어 볶는다.

NOTE

연근은 어혈을 제거하고 피를 맑게 하는 작용을 하고, 뿌리채소 중에는 드물
게 비타민C가 많으며 쉽게 파괴되지 않는다. 연근을 잘라두면 검게 변하는 것
은 타닌과 철분 성분 때문인데 식초물에 담그면 색이 하얗다.

돼지고기
가공식품

도시락 반찬으로 좋은 베이컨 감자볶음

| 가공식품 |

🍲 분량 : 2~3인분
⏰ 조리시간 : 20분
🎹 난이도 : 초급

"감자는 섬유질이 많아 혈중 콜레스테롤을 저하시켜서 당뇨병, 심장질환 등 성인병 예방에 좋습니다. 비타민K는 나트륨을 체외로 배설시켜 부종예방에 효과적이고, 골다공증, 빈혈에도 좋아요."

| 재료 |
- □ 감자 2개
- □ 피망 2개
- □ 베이컨 2줄
- □ 검은깨 1작은술
- □ 기름 2큰술

| 양념 |
- □ 소금 1/3작은술
- □ 후춧가루 조금
- □ 깨소금 1작은술
- □ 참기름 1큰술

1. 감자는 껍질을 벗기고 0.2~0.3cm 정도로 가늘게 채를 썬다.

2. 감자채를 10분 정도 소금물에 담가두고 물기를 뺀다.
   ※Tip※ 감자가 소금물에 담그면 전분이 제거되어 팬에 볶을 때 들러붙지 않고, 감자의 갈변되는 걸 막아줄 수 있다.

3. 베이컨과 피망은 감자와 같은 두께로 채를 썬다.

4. 달군 팬에 기름을 두르고 베이컨을 볶는다.

5. 베이컨이 노릇하게 되면 감자채를 넣어 투명해질 때까지 볶는다.

6. 피망을 살짝 볶고, 소금, 후춧가루, 깨소금, 참기름 넣어 간을 한다.
   ※Tip※ 피망은 마지막에 넣고 1분 미만으로 볶아야 색이 변하지 않는다.

한입에 쏙쏙~ 햄을 넣은 달걀 까나페

| 가공식품 |

🍲 분량 : 8개
⏰ 조리시간 : 30분
🏛 난이도 : 중급

"삶은 달걀을 소금에 찍어서 먹다 보면 퍽퍽한 노른자만 남고, 금방 질리기
도 해요. 달걀을 반을 갈라서 노른자를 빼고 거기에 야채와 각종양념을 하
고 다시 채워 넣으면 한입에 쏙쏙 들어가고, 부드럽고 상큼해요."

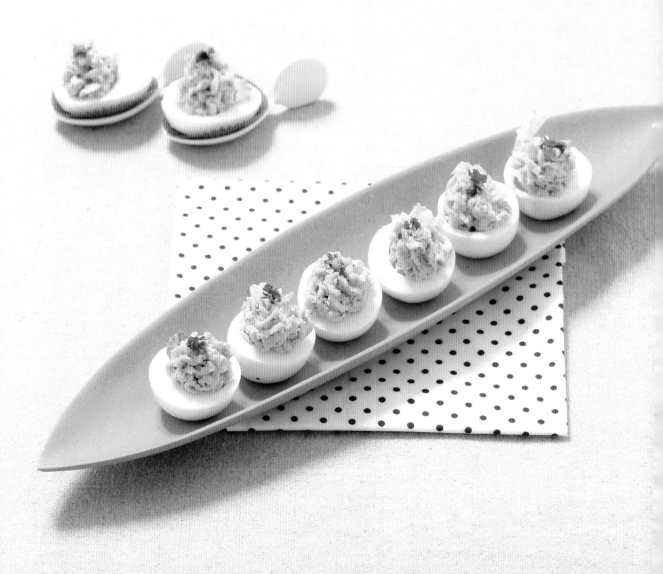

Ingredients

재료		노른자 양념
□ 달걀 4개		□ 마요네즈 2큰술
□ 소금 1큰술		□ 소금 조금
□ 식초 1큰술		□ 후춧가루 조금
□ 슬라이스햄 2장		□ 머스터드 1작은술
□ 피망 1/2개		
□ 양상추 1장		
□ 파슬리 장식용		

Directions

1. 달걀은 소금 1큰술, 식초 1큰술을 넣고 완숙(12~15분)으로 삶는다.
   ＊Tip＊ 식초를 넣으면 달걀이 깨졌을 때 풀어지지 않게 응고시켜주는 역할을 한다.

2. 삶은 달걀은 껍질을 벗기고 반으로 잘라서 노른자를 꺼내 으깬다. 흰자는 기울지 않게 밑면을 살짝 저민다.

3. 피망은 곱게 다지고 키친타월로 수분을 제거한다. 햄도 곱게 다진다. 양상추는 달걀에 넣기 좋은 크기로 자른다.
   ＊Tip＊ 생으로 먹는 햄을 사용해서 데치는 과정 없이 간편하다. 만약에 통햄을 샀다면 끓는 물에 살짝 데쳐 사용하면, 깔끔하고, 첨가물을 줄일 수 있다.

4. 노른자, 햄, 피망, 마요네즈, 머스터드, 소금, 후춧가루를 섞어 소를 만들고, 짤주머니에 채운다.

5. 흰자 안에 양상추를 깔고 짤주머니로 채워 넣는다. 위에 파슬리로 장식한다.
   ＊Tip＊ 짤주머니가 없다면, 투명비닐에 넣고 모서리 끝을 가위로 조금 잘라보세요.

✐NOTE

마요네즈를 많이 넣거나 야채의 수분이 많으면 질어질 수 있고, 마요네즈가 부족하거나 재료를 굵게 다지면 퍽퍽해져서 노즐에 재료가 끼거나 짤주머니에서 소가 잘 안나오니 마요네즈 양을 질기에 따라 조절한다.

미드의 배우들처럼 베이컨 브런치

| 가공식품 |

- 분량 : 2인분
- 조리시간 : 20분
- 난이도 : 초급

"브런치는 아침, 겸 식사로 블랙퍼스트(Breakfas)와 런치(Lunch)의 합성어 예요. 미국 드라마 '섹스 앤 더 시티' 주인공 캐리와 친구들이 브런치를 즐기는 모습 때문에 국내에서도 붐이 일었죠. 주말에 달콤한 늦잠을 자고 간단하게 빵과 야채로 즐기고 싶을 때 후다닥 만들어 봐요."

Ingredients

재료		
□ 베이컨 4줄	□ 소금 조금		프렌치 토스트	
□ 달걀 3개	□ 기름 1큰술	□ 달걀 1개
□ 식빵 2개	□ 후춧가루 조금	□ 우유 1큰술
□ 버터 1큰술		□ 소금 1꼬집
□ 양상추 2장		발사믹 드레싱		□ 후춧가루 조금
□ 베이비채소 50g	□ 발사믹 식초 1큰술	
□ 방울토마토 10개	□ 올리브유 3큰술	
	□ 올리고당 1큰술	

Directions

1. 달걀 1개를 풀어 우유 1큰술, 소금, 후춧가루를 섞고, 식빵을 반을 잘라서 달걀물에 10분 정도 충분히 적신다.
   ※ Tip ※ 달걀에 빵을 충분히 적셔야 빵이 촉촉하다.

2. 팬에 버터 1큰술을 넣고 빵을 앞뒤로 노릇하게 굽는다.

3. 베이컨은 마른 팬에 바삭하게 앞뒤로 구우면서 후춧가루를 뿌리고, 남은 달걀 2개는 소금을 뿌리고 반숙으로 익힌다.
   ※ Tip ※ 반숙으로 달걀을 익힌 것을 서니사이드업(sunny side up)이라고 한다.

4. 양상추와 베이비채소는 찬물에 10분 정도 담그고, 물기를 뺀 후 한입 크기로 찢는다. 곁들이는 드레싱을 만든다.

5. 접시에 야채, 프렌치토스트, 베이컨, 토마토, 달걀을 놓고 발사믹 드레싱을 곁들인다. 여기에 메이플시럽을 곁들여 먹어도 좋다.

1

3

4

✎NOTE

발사믹 식초는 단맛이 강한 포도즙을 나무통에 넣고 목질이 다른 통에 여러 번 옮겨 담아 숙성시킨 포도주 식초를 말한다.

맛있는 재료만 있다면 초간단 렐리시 핫도그

| 가공식품 |

- 분량 : 2인분
- 조리시간 : 20분
- 난이도 : 초급

"렐리시(Relish)는 다진 피클을 이르는 말로, 소시지빵에 수세소시지를 넣고 다진 양파와 다진피클을 듬뿍 넣은 새콤, 달콤한 핫도그입니다. 케첩 대신 칠리소스와 할라피노를 얹어서 칠리핫도그, 치즈를 빵 위에 얹어 살짝 데워 녹인 후 치즈핫도그를 다양하게 만들어 보세요.

재료
□ 수제 소시지 2개
□ 핫도그빵 2개
□ 홀피클 3개(또는 렐리시 피클 4큰술)
□ 양파 1/4개
□ 올리브유 2큰술

소스
□ 허니머스터드 3큰술
□ 토마토케첩 3큰술

1. 핫도그빵은 마른 팬에 따뜻한 정도로 굽는다.

2. 양파와 피클은 잘게 다진다.
   » Tip » 양파가 맵다면 물에 10분 정도 담갔다 물기를 빼서 사용한다.

3. 소시지는 칼집을 사선으로 내어 팬에 올리브유를 두르고 앞뒤로 노릇하게 굽는다.

4. 빵에 소시지, 피클, 양파를 얹고, 머스터드와 토마토케첩을 뿌린다.

♪NOTE

웨지허브포테이토 만드는 방법

감자 1개, 소금 1꼬집, 후춧가루 파슬리가루 조금, 로즈마리 조금, 올리브유 2큰술

❶ 감자를 8등분으로 잘라서 사선모양 형태로 자른다(이것을 웨지형이라고 한다).

❷ 소금, 후추, 로즈마리, 파슬리가루, 올리브유를 감자에 넣고 버무린다.

❸ 160℃로 예열한 오븐에 20분간 굽는다.

피크닉 가자! BLT 샌드위치

| 가공식품 |

- 분량 : 2인분
- 조리시간 : 20분
- 난이도 : 초급

"BLT 샌드위치의 B는 베이컨(Bacon), L은 양상추(Letters), T는 토마토(to-mato)를 말해요. 베이컨, 양상추, 토마토가 들어있는 샌드위치인데, 여기에 달걀과 피클을 넣어 고단백으로 영양섭취까지 고려한 샌드위치를 만들었어요. 담백해 오래먹어도 질리지 않고, 깔끔합니다."

| 재료 |
- 베이컨 2줄
- 양상추 2장
- 토마토 1개
- 통피클 1개
- 달걀 2개
- 토마토케첩 1큰술
- 식빵 4장

- 기름 1큰술

| 머스터드소스 |
- 마요네즈 1큰술
- 머스터드 1/2큰술

1. 식빵은 마른 팬 또는 토스터기에서 토스트한다.

2. 토마토는 링으로 썰어서 약간의 소금을 뿌린다.
   ※Tip※ 소금을 뿌리면 토마토의 수분 제거에 좋고, 비타민의 흡수율을 높여준다.

3. 통피클은 얇게 저미고, 양상추는 빵크기에 맞게 찢는다.
   ※Tip※ 피클은 동전모양으로 잘라진 피클로 된 것을 사용해도 좋으나 통피클을 구입해서 저며 사용하면 샌드위치 먹을 때 재료가 흐르는 것을 방지할 수 있다.

4. 달걀은 반숙으로 프라이하고, 베이컨은 굽는다.

5. 빵 한면에는 토마토케첩, 다른 한 면에는 머스터드 소스를 바른다.

6. 빵 위에 양상추, 달걀, 베이컨, 피클, 토마토, 양상추 순서로 올리고 다른 빵으로 덮는다.

1

3

4

✑NOTE

빵을 썰 때는 살짝 빵을 손바닥으로 누르고 칼로 슬근슬근 비벼가면서 썰면 빵이 부서지지 않는다. 빵칼을 이용하거나 칼을 불에 달구었다가 썰면 더 잘 썰린다.

따뜻한 프랑스 아저씨의 크로크무슈

| 가공식품 |

- 분량 : 2인분
- 조리시간 : 30분
- 난이도 : 중급

"크로크무슈는 프랑스 노동자들이 샌드위치 위에 치즈를 얹어 난로 위에 데워 먹은 데서 유래가 된 따뜻한 샌드위치로, 바삭바삭한 크로크(Croque)와 아저씨라는 뜻의 무슈(Monsieur)가 합쳐진 말입니다. 여기에 달걀 하나를 추가하면 모자 쓴 여인 같다고 크로크마담라고 해요."

Ingredients

재료		베샤멜 소스
□ 식빵 4장		□ 버터 1큰술
□ 햄 2장		□ 밀가루 1큰술
□ 치즈 2장		□ 우유 1/2컵
□ 모짜렐라치즈 1/2컵		□ 물 1/2컵
□ 파슬리가루 1큰술		□ 소금 1꼬집
		□ 후춧가루 조금

Directions

1. 버터, 밀가루을 섞어서 타지 않게 1분간 약한 불로 볶는다.

2. 물 1/2컵, 우유 1/2컵을 넣으면서 멍울지지 않게 하고, 되직
   하게 끓인 다음 소금, 후춧가루로 간을 한다.
   ※Tip※ 물과 우유를 넣을 때 한 번에 넣으면 멍울지므로 한 큰술씩 넣어가면
   서 양을 늘리고 약한 불로 하는 것이 좋다.

3. 식빵 위에 햄과 치즈를 한 장씩 올리고 식빵으로 덮는다.

4. 식빵의 윗면에 만들어 놓은 베샤멜소스를 바르고 모짜렐라치
   즈와 파슬리가루를 뿌린다.
   ※Tip※ 포개진 식빵 안쪽에도 베샤멜소스를 바르면 좀 더 부드럽게 먹을 수
   있으나, 칼로리를 줄이고 싶을 때는 식빵의 윗면에만 바른다.

5. 180℃의 오븐에 5분간 노릇하게 굽는다.

2

3

4

맥주의 대표 안주 쏘야 소시지 야채볶음

| 가공식품 |

- 분량 : 2~3인분
- 조리시간 : 30분
- 난이도 : 초급

"어른들의 맥주안주만 되는 것은 아니에요. 소시지 좋아하는 아이들에게 야채와 함께 볶아서 반찬이나 간식으로 준비해줘도 좋아요. 요즘은 소시지 속에 마늘, 카레 등 다양한 재료를 넣어 만들어서 고기의 잡냄새를 잡아주니 느끼하지 않게 먹을 수 있어요."

Ingredients

재료		소스

재료	소스
▫ 수제 소시지 2개	▫ 바비큐소스 1큰술
▫ 양파 1/2개	▫ 토마토케첩 1큰술
▫ 피망 1/2개	▫ 돈까스 소스 1큰술
▫ 양송이 2개	▫ 핫소스 1작은술
▫ 브로컬리 1/4개	▫ 다진 마늘 1작은술
▫ 당근 1/8개(20g)	▫ 후춧가루 조금
▫ 올리브유 2큰술	▫ 소금 1꼬집

Directions

1. 소시지는 어슷하게 썬다.

   ※Tip※ 첨가물이 많은 소시지라면 끓는 물에 살짝 데쳐서 사용하면 더 깔끔하다.

2. 양파와 피망은 2×2cm정도로 썰고, 양송이는 4등분, 당근은 편썰고, 브로컬리는 한입 크기로 썬다.

3. 소스 재료를 섞어 소스를 만든다.

4. 팬에 올리브유를 두르고 소시지를 1분 정도 볶는다.

5. 양파, 당근을 볶아서 양파가 투명해지면 피망, 브로컬리, 양송이, 소스를 넣고 3분 정도 볶는다.

   ※Tip※ 브로컬리, 청피망, 양송이는 먼저 볶으면 색이 변하고 물러지므로 나중에 넣는다.

1

2

5

짭짤한 쫄깃함 베이컨떡말이

| 가공식품 |

- 분량 : 2인분(꼬치 4개)
- 조리시간 : 20분
- 난이도 : 초급

"짭쪼름한 베이컨은 어떤 재료와도 참 잘 어울려요. 얇아서 돌돌말기도 좋고, 모양내기도 좋은 식재료죠. 심심한 떡과 말면 부족한 맛과 영양도 보충해주고요. 팽이버섯, 아스파라거스, 우엉 등 속재료를 달리해서 돌돌 말아서 구워보세요. 심심하면 칠리소스나 케첩을 곁들이고요."

| 재료 |
- 베이컨 6줄
- 가래떡 1줄
- 소금 1꼬집
- 후춧가루 조금
- 꼬치 4개
- 올리브유 2큰술
- 참기름 1큰술

Directions

1. 가래떡은 두껍지 않게 반으로 가르고, 길이는 5cm 정도로 썬다. 끓는 물에 1분간 데치고 찬물에 헹군다.
   ×Tip× 가래떡 대신 떡볶이 떡을 넣어도 된다.

2. 데친 가래떡은 소금, 참기름, 후춧가루로 밑간을 한다.

3. 베이컨은 반으로 자른다.

4. 가래떡을 베이컨으로 감싸고 꼬치에 꽂는다.
   ×Tip× 베이컨의 결 때문에 꽂거나 돌돌 말 때 찢어질 수 있으므로 두꺼운 베이컨을 사용하는 것이 좋다.

5. 팬에 올리브유를 두르고, 앞뒤로 노릇하게 익힌다.
   ×Tip× 떡은 데치는 과정에서 익었으므로 베이컨의 색깔만 노릇하게 나면 된다.

마음까지 따뜻한 살라미 파인애플베이글

| 가공식품 |

- 분량 : 2인분
- 조리시간 : 20분
- 난이도 : 초급

"살라미는 이탈리아식으로 건조한 소시지로 쇠고기와 돼지고기에 조미료, 향신료를 넣어 간을 하고 럼주를 넣고 건조시킨 것이에요. 익히지 않고 그냥 먹어도 안전하고, 살짝 구워서 햄 대용으로 먹어도 좋아요. 피자, 베이글 말고도 , 까나페 등에 다양하게 이용해 보세요. "

재료

- 베이글 2개
- 살라미 8장
- 파인애플 2개
- 치즈 2장
- 양상추 2잎
- 버터 2큰술

1. 베이글은 반을 잘라 버터를 양면에 바르고 180℃의 오븐에 3분간 노릇하게 굽는다.
   ※Tip※ 빵을 토스트한 후에 크림치즈나 버터를 발라도 좋다.

2. 양상추는 빵 크기로 손으로 찢고, 살라미는 링으로 썬다.

3. 팬에 살라미와 파인애플을 약한 불로 1분씩 살짝만 굽는다.
   ※Tip※ 파인애플을 구우면 더 달콤해지고 따뜻해져서 샌드위치와 잘 어울린다.

4. 빵 위에 양상추, 살라미, 치즈, 파인애플, 빵 순서로 올린다.

파티요리 핑거푸드 살라미 크림치즈까나페

| 가공식품 |

- 🍲 분량 : 2인분
- ⏰ 조리시간 : 20분
- 🎚 난이도 : 초급

"분위기 잡은 날 와인에 담백하고 깔끔한 메뉴가 필요하다면 까나페를 추천합니다. 만드는 방법도 간단하고, 색깔별로 쌓아놓은 모양은 앙증맞아요. 하루쯤은 어느 스카이라운지의 바(Bar)처럼 촛불을 켜고, 과일, 치즈를 곁들이거나 까나페 하나만으로 분위기를 연출해 보세요."

| 재료 |

- 크래커 8조각
- 크림치즈 4큰술
- 살라미 8장
- 블랙올리브 2개
- 방울토마토 4개
- 어린잎 채소 조금

Directions

1. 크래커에 크림치즈를 넉넉히 펴 바른다.

   ＊Tip＊ 크래커 대신 식빵을 이용하고, 크림치즈 대신 버터를 바르거나 슬라이스치즈를 잘라서 곁들여도 좋다.

2. 살라미는 얇게 슬라이스하고, 블랙올리브는 3~4등분한다.

3. 방울토마토는 반으로 자른다.

4. 크래커 위에 살라미, 방울토마토, 올리브를 올린다.

엄마, 아빠도 좋아하는 베이컨토마토파스타

| 가공식품 |

- 분량 : 2인분
- 조리시간 : 30분
- 난이도 : 중급

"파스타 중 가장 인기있는 토마토소스는 느끼하지 않고 재료만 달리하면 여러 가지 맛을 낼수 있어서 누구나 좋아해요. 아이들과 먹을 때는 야채를 잘게 다져서 건강하게 만들고, 한국 입맛 어른들에게는 매운 고추를 넣어서 해드리면 깔끔하다며 입맛에 맞다고 엄지를 치켜올리세요."

재료	
□ 스파게티면 160g	□ 설탕 1큰술
□ 베이컨 4줄	□ 바질잎 2장
□ 마늘 3쪽	□ 파슬리 1송이
□ 페페로치노 2개	□ 올리브유 4큰술
□ 양파 1/4개	□ 소금 1꼬집
□ 브로컬리 1/6개	□ 후춧가루 조금
□ 홀토마토 2컵(약400g)	□ 파마산치즈가루 1큰술

1. 홀토마토는 믹서에 간다.

2. 마늘은 편을 썰고, 베이컨과 양파는 굵게 채를 썰고, 브로컬리는 한입 크기로 잘라 놓는다.

3. 냄비에 물을 넉넉히 끓이고, 소금을 넣어 면을 7~8분간 삶는다.

4. 팬에 올리브유를 두르고 마늘을 약불에서 1분간 볶는다. 페페로치노, 베이컨을 베이컨이 노릇해질 정도로 볶고 양파를 투명하게 볶는다.

   ≡Tip≡ 페페로치노는 이탈리아 매운 고추인데. 없을 때는 월남건고추나 청양고추로 대신하고, 매운맛이 싫을 때는 빼고 요리한다.

5. 간 홀토마토와 설탕을 넣어 3분 정도 신맛이 날아가게 끓인다.

6. 삶은 면, 바질, 파슬리, 소금, 후춧가루, 파마산치즈가루를 넣어 간을 맞춘다.

∅ N O T E

생토마토를 이용하여 소스를 만들 때는 토마토를 끓는 물에 살짝 데쳐서 껍질을 까고 믹서에 갈아 사용한다. 단, 시중에서 구입하는 생토마토는 완숙이 되었더라고 갈아 놓으면 색이 연하여 파스타를 만들었을 때 식감이 좋지 않아. 플럼 토마토가 담겨져 있는 홀토마토를 사용하길 권한다.

피자 어렵지 않아요~ 살라미또띠아피자

| 가공식품 |

🍲 분량 : 2~3인분
⏰ 조리시간 : 15분
🎚 난이도 : 초급

"두꺼운 피자도우는 싫고, 맛있는 도우를 만들자니 시간이 너무 오래 걸리죠? 간단하게 또띠아를 이용하면 씬도우처럼 바삭하고, 깔끔해요. 게다가 조리시간 단축도 되니, 간편해 자꾸 해먹게 된다니까요. 좋은 살라미와 치즈만 곁들이면 많은 토핑이 없어도 충분히 맛있어요."

Ingredients

재료	토마토 소스
□ 또띠아 10인치 1장	□ 홀토마토 3큰술
□ 살라미 8장(약 100g)	□ 바질 1g
□ 모짜렐라치즈 100g	□ 오레가노 1g
□ 블랙올리브 4개	□ 소금 1/3작은술
□ 방울토마토 4개	□ 설탕 1작은술

Directions

1. 살라미는 링으로 썰고, 블랙 올리브와 방울토마토도 링으로 썬다.

2. 홀토마토, 바질, 오레가노, 소금, 설탕을 넣고 믹서에 간다.
   ※Tip※ 홀토마토는 토마토의 껍질을 벗기고 가공한 캔제품입니다.

3. 또띠아에 토마토소스를 넓게 펴서 바르고, 치즈를 조금 뿌린다.
   ※Tip※ 토마토 소스를 너무 많이 바르면 눅눅해져서 맛이 없다.

4. 그 위에 살라미, 블랙 올리브, 방울토마토, 모짜렐라치즈를 올린다.

5. 예열한 200℃ 오븐에서 5분간 굽는다.
   ※Tip※ 오븐이 없는 경우 기름 두르지 않은 팬에 약불로 하고 뚜껑을 덮어 5분 정도 은근히 굽는다.

♪NOTE

취향에 따라 베이컨, 양송이버섯, 파프리카, 해산물을 곁들여 다양한 피자로 만들어 본다.

아삭아삭 프로슈토햄을 곁들인 샐러드

| 가공식품 |

- 🍲 분량 : 2~3인분
- ⏰ 조리시간 : 15분
- 🪮 난이도 : 초급

"돼지고기는 볶고, 익히는 것 말고도 다양한 형태로 먹을 수가 있습니다. 심지어 샐러드까지~ 육류만 섭취하면 비만의 위험도 있고, 느끼해서 야채와 함께 섭취하는 게 좋은데요. 샐러드로 먹으면 고기보다 야채를 더 많이 먹게 되니 이보다 더 좋을 수는 없죠."

| 재료 |

- 적겨자잎 5장
- 비트잎 5장
- 방울토마토 4개
- 프로슈토햄 50g
- 표고버섯 2개
- 그라나파다노치즈 2큰술
- 소금 1꼬집
- 후춧가루 조금

| 발사믹 드레싱 |

- 발사믹 식초 2큰술
- 올리브유 4큰술
- 올리고당 1큰술
- 소금 1꼬집
- 후춧가루 조금

1. 적겨자잎, 비트잎은 물에 10분 정도 담그고, 물기를 뺀 다음 먹기 좋은 크기로 손으로 찢는다.

   ×Tip× 야채는 양상추, 치커리 등 다양하게 바꾸어도 좋다.

2. 표고버섯은 채를 썰고 팬에서 노릇하게 구우면서 소금, 후춧가루를 조금씩 넣어서 간을 한다.

3. 분량의 재료를 넣어 드레싱을 만든다.

4. 야채에 드레싱을 부어 버무린다.

   ×Tip× 드레싱은 곁들여서 담아도 되고, 미리 버무려도 좋다.

5. 접시에 야채를 깔고, 구운 표고버섯, 토마토, 프로슈토햄, 치즈로 장식을 한다.

∂NOTE

프로슈토는 돼지뒷다리를 소금에 절이고 오랜 기간에 걸쳐 숙성시켜서 만드는 이탈리아 햄이다.

누구나 손쉽게 기본 이상의 맛 부대찌개

| 가공식품 |

- 🍲 분량 : 2인분
- ⏰ 조리시간 : 20분
- 〽️ 난이도 : 초급

"50여 년 전 우리가 어려웠던 시기에 미군들이 즐겨 먹던 햄, 소시지, 베이컨 등 서양재료와 우리재료인 김치, 고추장, 떡, 야채를 넣어 얼큰하고 시원하게 끓여 먹었던 이 부대찌개야 말로 퓨전요리의 원조가 아닌가 싶네요."

| 재료 |

- □ 스팸햄 1/2개(150g)
- □ 소시지 2개
- □ 김치 100g(1/8포기)
- □ 어묵 1~2장
- □ 쑥갓 2줄
- □ 두부 1/4모

- □ 베이키드빈스 2큰술
- □ 떡국떡 100g
- □ 대파 1/2대
- □ 라면 1/2봉
- □ 양파 1/4개

| 양념 |

- □ 고춧가루 2큰술
- □ 청주 2큰술
- □ 다진 마늘 1큰술
- □ 다진 생강 1작은술
- □ 후춧가루 조금
- □ 된장 1작은술

1. 햄은 납작하게 썰고, 소시지는 어슷하게 썰고, 어묵은 햄 크기로 사른다.

2. 김치는 송송, 두부는 나박하게, 양파는 굵게 채를 썰고, 대파는 어슷하게 썬다.

3. 양념장을 만들어 놓는다.

4. 냄비에 쑥갓을 제외한 모든 재료를 돌려 담고 물 2컵과 양념장을 넣고 끓인다. 끓으면 라면을 넣고 쑥갓을 넣는다. 취향에 따라 치즈를 얹어서 먹는다.

1

2

4

맛을 키운 건 시스템이다!

낳고, 먹이고, 키우고, 포장에서 유통까지 –
처음부터 끝까지 시스템으로 관리하여
더욱 맛 있는 돼지고기 선진포크를 지금 맛 보세요.

선진포크 웹툰 돼지고기 동동

검색창에 　돼지고기 동동　 검색 을 검색해 주세요.

돼지고기도 시스템이다

선진포크

선진포크몰에서 편리하게 주문하세요. **www.sjporkmall.com**

All that PORK

1판 1쇄 발행 2013년 4월 29일

저　　자 | 최경선
발 행 인 | 김길수
발 행 처 | (주)영진닷컴
주　　소 | 서울특별시 금천구 가산동 664번지
　　　　　 대륭테크노타운 13차 10층
대표전화 | 1588-0789
대표팩스 | (02) 2105-2207
등　　록 | 2007. 4. 27. 제16-4189호

가격 13,000원

YoungJin.com **Y.**
영진닷컴

All that PORK